人生、ポレポレで行こう

内山二郎

はじめに

このエッセー集は２００１（平成13）年から２０２４（令和６）年にかけて「長野市民新聞」のコラム「こだま」への寄稿をまとめたものである。「ミレニアム」といわれた西暦２０００年を境に、私の身辺で起きる出来事や関心事はそれ以前とは大きく変わった。肉親の介護、高齢社会の生き方、終末の迎え方、大震災と原発、教育のあり方、政治への不信、戦争と平和、親友との別れなど、３カ月に一度執筆の順番が回ってくるたびに、ふと思いついたことや、気になる社会事象などについて綴（つづ）ってみた。恐る恐る原稿を送ると、寛大な編集長は少々のはみだしは大目に見て、温かく励ましてくれた。

この期間に掲載されたエッセーは１００篇を超える。それらを拾い集めてテーマごとに整理した。現代の状況とずれが生じている内容もあるが、１冊にまとめるにあたり、あえて発表時のままにした。それは、その当時の事象を自分がどのように受け止めて反応したかを残しておきたかったからである。

敗戦の2年前に神奈川で生まれ、先祖伝来の地である信州に疎開し、そこで物心ついてから高校まで過ごし、東京に出て学生運動に疑問を感じてベトナム戦争に赴き、マグロ漁船乗り、造船所の鳶職、焼き芋屋、ドキュメンタリー映像制作などを経てフリーの物書きになった。アジア、インド、東欧などを漂泊し、アフリカで病に倒れ、「俺の人生どうなるんだろう」と漠然たる不安を抱いて帰郷して40年が過ぎた。しかし振り返れば、そんな不安はまったくの杞憂であった。行方定まらぬ経験の一つひとつが新たな人生の局面を開く礎になったように思える。

最近、「すべてのコトにはトキがある」という旧約聖書のコヘレトの言葉が少し理解できるようになった気がする。コヘレトは「人生には無駄なことなどなにもない。自分が選んだ〝そのトキ〟を精いっぱい生きよ」と説いているのだろう。いまはすべて来し方の一瞬一瞬につながっている。このエッセーを整理していてそのことを実感した。

そして40年ほど前、キリマンジャロ登頂時にあとから来た若者たちに次々と追い越される中、案内人のムーサ老人が口にした言葉、「ポレポレ（スワヒリ語で〝ゆっくりゆっくり〟の意）」が言霊のようによみがえってくる。「登山は長い人生と同じ。ポレポレ踏みしめて進むことで、より遠く深い世界へ到達できるのだ」と教えてくれた。

私の曲折多き「ポレポレ人生」の断片にしばしお付き合いいただければ幸いである。

目次

はじめに　2

老後のデザイン

オー・マイ・還暦 …… 10
逝き方談義 …… 12
我が「第一・五の人生」 …… 15
人生100年時代のデザイン …… 17
老後の安全保障 …… 19
居場所と出番と誉れある人生 …… 22
「老い」への視点 …… 24
ライフシフト …… 26
シニア世代の学びの場 …… 28
「また、あっちで話そう」 …… 31
ドクターSと「いのちのバトン」 …… 33
私の「新宿群盗伝」 …… 36
時代おくれの喫茶店 …… 38
未完のオトシマエ …… 40

地域を元気にする

「もしも100人の村だったら」 …… 46
古里地区の未来地図づくり …… 48
「まちの縁側」5000カ所 …… 50
「無縁社会」とTwitter …… 53

聴くこと、待つこと、触れること……56
失語症テーマ劇へのいざない……58
大震災と向き合う……60
「こだまでしょうか」……63
被災地の子どもたちを信州に招こう……65
信州サマーキャンプ……67

海の向こうで考えた

キリマンジャロの案内人……86
死を待つ人の家……88
エイズ孤児の家……91
ツォツィのいる街……94
中国化するチベット……97
カンボジア教育支援……102
「聴く力」と心の支援……69
熊本地震と子どもの心のケア……71
あこがれ大人塾……73
認知症とともに生きる地域……76
ムラ歌舞伎を育む力……78
故郷の小中学校が消えてゆく……81
塾ブームの陰で……105
ヌーンさんの帰郷……107
プノンペンの憂鬱……110
ポル・ポト時代を問う……113
松吉さんの戦後……116
世界一の星空は誰のもの？……119

日々の営みの中で

「もしもし、タカシか」……124
勧誘商法のお相手……126
悪徳詐欺に勝つ……129
ライオンギャルとの授業……131
ギャルたちの新たな旅立ち……133
毒舌の快感と哀感……135
待てない時代……138
ネット社会の病理……140
地球市民としての想像力……142
「君たちはどう生きるか」……143
監視社会の危険性……146
津久井やまゆり園事件を考える……148
「死刑確定」で終わらせていいのか……151
ああ、コロナ コロナ コロナ!!……153
人口減少化の行方……155
普通の人が、なぜ・・・……157

ニッポンの政治を問う

過去と向き合う……162
問われる歴史認識……163
考えなければならないこと……166
精神的メルトダウン……170
大飯原発差し止め判決……172
戦争をさせないために……175
〝ワンショット ワンキル〟の悪夢……177
「積極的平和主義」のまやかし……179
非戦こそ平和の礎……182
爆心地に立って……184

「パン屋騒動」と教科書検定……186
ウクライナ侵攻と父たちの戦争……188
「広島ビジョン」の誤謬……190
78年目の夏……193
「平和主義」の劣化……195

幼い日の記憶と別れ

原体験の記憶……200
薪割り免許皆伝……203
走り馬のおしっこたれ……205
15歳の問い……208
「聞こえる聞こえる」……210
老母との会話……212
「ありがと　さよなら」……215
一緒の墓に入る……218
望ましい死に方……220
兄が倒れた……223
記憶のもつれ……225
真夜中の電話……227
兄と従妹との別れ……230

内山さんとは何者なのか　増田正昭　234

あとがき　237

本書は「長野市民新聞」(２００１年１月～２０２４年４月)に掲載された「こだま」を加筆修正して、再編集しました。

表紙・挿画◉田之脇篤史
ＤＴＰ◉天地舎

老後のデザイン

オー・マイ・還暦

この6月、還暦を迎えた。以前の私は「60歳は老人への一里塚」といったイメージを抱いていた。しかし、現実に自分が60歳になってみると、まったく実感が湧かない。私の場合、決して順風満帆な人生ではなかった。学校を出て、マグロ漁船乗り、鳶職、放浪者、映画助監督、TVディレクターなどを経て、フリーで文章を書いたり人前でしゃべったりすることを生業とするようになった。考えてみると、まともに月給をいただいたことがない。だから、定年まで勤め上げたサラリーマンがもらうような退職金もなければ厚生年金もない。カラダが持つ限り、せっせとこの不安定な営みを続けなければならない。

口の悪い友人は言う。

「それはお前、アリとキリギリスだよ」

「なんのことだ?」

「俺たちが、嫌なことにも耐えて真面目に働いていたとき、お前は好き勝手に遊んでいたんだろう?」

私は安易に生きてきたとは思わない。自分が選んだ「オリジナル人生」を歩んできたという自負がある。だから来し方を悔やんだり、他人をうらやんだりはしない。無法者たちの難破船のようなマグロ船の経験も、インドやアフリカをひたすら放浪し差別や飢餓に苦しむ人々とともに暮らした歳月も私にとってはかけがえのない財産なのだ。

人生の秋にさしかかったいま、青春の放浪の軌跡をたどって世界中の女友達ともう一度会いたいなんてアホなことは考えない。小春日和の庭先で犬や猫の頭を撫でたり、日がな一日テレビにお子守されたり、木の葉が舞い落ちる様子を眺めたり、そんな悠々自適の生活も退屈だ。

最近、「新老人」という言葉を耳にするようになった。第三の人生である75歳からの後期老年期を創造的に生きようとする人であり、愛し愛される家族や友人を持っている人であり、さらにはこれから新しいことをやってやろうという気力と行動力に満ちた人のことだという。

私の関心はいま、人間の心の内側に向かっている。

人はなぜ争い、憎しみ合うのか。

許しと和解はどうすれば可能なのか。

深い心の平安はどうすれば得られるのか。

人生の大きな節目とされてきた還暦の捉え方が最近大きく変わってきている。しかし、自分の来し方や行く末を見つめ直すための一つの契機であることに変わりはない。


（2003年6月28日）

逝き方談義

久しぶりに中学時代の悪友が集まってわいわい酒を飲んでいるとき、話題はいつしかどんな逝き方がいいかというところへ流れ着いた。

「やっぱりピンピンコロリだな」

「ボケちまうのもいいかもしれない」

「スパゲティのように管につながれて死ぬのだけはごめんだ」

「母ちゃんに手を握られて逝きたい」

お互い六十路（むそじ）にさしかかり、そろそろ自分の最期を思い描く年齢になったのだろう。

私は、自宅であろうと病院や施設であろうと、最期はとにかくにぎやかに逝きたいと思っている。枕もとでめそめそ泣かれるのはごめんだ。気心の知れた友人知人に「一人一品」ずつ持ち寄ってもらい、傍らで大宴会を開く。親しい人たちの笑い声やざわめきを聞きながら、一人ひとりに「サンキュー、グッドバイ」と、ちょっと格好をつけて別れを言って息を引き取るのもいい。宴会に来てくれる友人の中には医者も坊さんもいるから、その後の手続きは簡単だ。持参の飲み物と食べ物でそのまま通夜の宴に突入すればよいなどと放言してみたものの、現実には自分らしい人生の幕引きはそれほど簡単ではない。

葬儀を普通にやれば200万円〜300万円はかかるというから、儀式は一切やめて献体の手続きをとることにしよう。相続すべき財産はないからそのことで悩むことはないが、私のほうが連れ合いより先に逝くとすれば、彼女の老後のことも、ほんの少しは考えておかなければならない。墓はいらない。若いときに放浪したインドのベナレスの地でガンジス川に散骨してもらうのが私の唯一の願いである。悪友たちは口々に「かっこよすぎてお前には似合わない」とはやし立てた。帰宅して連れ合いに話すと「そんなの自分勝手よ。それにガンジス川まで散骨に行くお金は残してあるの?」と一笑に付された。

最近、誰にも看取られないで逝く孤独死をよく耳にする。独りよがりの私だが、やはり最期まで誰かとつながっていたいと強く願う。望ましい逝き方を実現するのも容易ではなさそうだ。

（2004年4月15日）

我が「第一・五の人生」

この春、定年退職した友人知人からたくさんの挨拶状が届いた。それらには、在職中の「公私にわたる格別のご厚情」に対する感謝の言葉と、自由な「第二の人生」への抱負が異口同音に綴(つづ)られていた。そんな書状を受け取って、いささかうらやましさを感じなかったといえば嘘になる。昨年還暦を迎え、普通なら仕事を一段落していいはずだが、幸か不幸かほとんど会社勤めをしたことがない私には退職金も厚生年金もない。スズメの涙ほどの国民年金では生活は立ちゆかないから、健康で自分を必要としてくれる仕事がある限りフリーランスとして働き続けなければならない。つまり、私には「第二の人生」はない。あっても「第一・五の人生」である。

いままで一生懸命働いてきた。これからの人生は余技だ、あるいは別の仕事をするにしても楽しみ半分だと割り切れるなら、どんなに気楽なことだろう。しかし最近、同年の友人が口にする言葉はこうだ。

「あれほど楽しみにしていた退職後の日々がこんなに退屈だとは思わなかった。

毎日なにをすればよいかわからない。今日一日どう過ごすか考えるだけで気分はブルーになる」

老後の第一の問題は、収入がなくなることよりも、することがなにもないことだという。

あらゆることを我慢して歯を食いしばって走り続けた現役時代とのこの落差はなんだ。人生90年時代といわれる昨今である。残された定年後を、いきいきと暮らすためのテーマや楽しみ、自分の居場所をあらかじめ準備しておかなければ、終盤の人生は空虚なものになるだろう。

そんなある日、中学校時代の担任だったY先生を訪ねた。アジアやアフリカでの取材話に耳を傾けていた80歳近いY先生は、突然立ち上がって「よし、俺は人生最後の仕事としてカンボジアの子どものために学校を建てる。どうだ、みんなで一緒にやらないか」と熱い眼差しを私に向けた。内乱後の過酷なカンボジアに住む子どもたちの情報はY先生の心に火をつけた。

村の中学校を卒業した教え子たちと恩師が、45年ぶりに行動を起こそうというのだ。

「これって、ちょっといい話じゃないか」

Y先生は得意げに小鼻をふくらませた。

さっそく私は東京のNGO（非政府組織）と連絡をとり、中学校の同期生に呼びかけて「カンボジア教育支援プロジェクト・ながの」を立ち上げた。

恩師の突飛（とっぴ）な思いつきは、半世紀近い時空を超えてクラスの心を一つにした。我が「第一・五の人生」はまた忙しくなりそうである。


（2004年9月19日）

人生100年時代のデザイン

長野県の平均寿命が男性80歳、女性87歳と男女ともに日本一になった。

自分の周囲を見回しても、80歳台はおろか90歳を越えても元気なお年寄りは珍しくない。その要因として「年をとっても現役で、生きがいを持って生活していること」

が挙げられている。

私たちは長い間、「高齢化率」の基準を65歳としてきた。しかし、65歳を越えても社会の支え手、担い手として活躍している人はたくさんいる。年齢によって一律に「支えられる高齢者」と捉えられることに違和感を覚える人は多いだろう。今年古希を迎える私自身（鏡に向かえば、まぎれもないジジイ面だが）が、「支えられる高齢者」だなんてちっとも思ってはいない。少々気張り過ぎの感もあるが、意識は40代、50代のころとそれほど変わっていない（つもりだ）。

人口将来推計によれば、２０４０年には長野県における65歳以上の高齢化率は4割近くになる。このままでは労働力や社会保障の維持が難しくなるのは明らかだ。このほど「改正高齢者雇用安定法」が施行され、65歳まで雇用することを企業に義務づける法律ができた。これは国の年金政策破綻のツケを押し付けるものだという批判もあるが、シニアの力を積極的に活かす施策としては不十分だ。年齢に関係なく、意欲と体力に合わせて働ける環境を整え、長年培った経験や技術を次の世代に伝えるシステムを整えることが求められる。

シニア世代の就労が若者世代から働く機会を奪うことは避けなければならないが、シニアの活躍の場は、ものづくり、農業、里山の保全、介護支援、観光、コミュニティービジネスなど多様である。意欲のある65歳以上の世代が、本人の希望に応じて活躍できる生涯現役社会の実現は、生活の基盤となる収入はもとより、生きがいや健康づくり、支え合いの地域づくり、医療費・社会保障費の抑制、ひいては世代間の負担格差の是正にもつながるだろう。

もはや、「人生二毛作」という言葉は時代に合わない。人生100年時代にふさわしい多様な生き方を自らデザインする時代である。そのための環境整備に社会全体で取り組む必要がある。

（2013年4月16日）

老後の安全保障

超高齢社会を迎え「人生100年時代」と言われるようになったが、長生きすることを素直に喜べない不安が広がっている。年金暮らしをするようになった高齢者が病気やケガなどがきっかけで、自分の収入だけでは暮らしていけず、生活が破綻してしまう「老後破産」が急増しているという。月9万円の年金収入しかなく、年金支給日前には野草を食べて飢えをしのぐ男性。月17万円の年金収入はあるがうつ病になった娘の看病で、ぎりぎりの生活を余儀なくされている老夫婦。心筋梗塞になって治療費や生活費で3000万円近くあった貯金を使い果たし、生活保護を受ける孤独な男性など、生活困窮に陥った高齢者をルポした藤田孝典さんの『下流老人』(朝日新書)を読んで「これは他人事(ひとごと)ではないぞ」と自分の行く末を思った。

この6月、こうした状況を象徴するショッキングな事件が起きた。走行中の新幹線の車内で71歳の男がガソリンをかぶり焼身自殺を図った。男は無職で、日ごろから周囲に年金の受給額の少なさと、保険料や税金の高さへの憤りをぶつけていたという。6月15日に受け取った2カ月分の年金は24万円。にもかかわらず、同時期に届いた国民健康保険料の通知書には、毎月2万円以上も払えと書かれている。築約50年の古びたアパートの家賃は、2Kの風呂なしで月4万円。さらに住民税の請求も来た。「これでどうやって生活すればいいのか。若いころから年金は35年間もかけた。なのに、この仕打ちはなんだ」と。

いま、安倍政権は憲法違反を犯してまで、安全保障関連法案を成立させようと躍起になっている。「国民の命と平和な暮らしを守るため」と決まり文句を繰り返す安倍晋三首相だが、集団的自衛権行使が現実になれば、軍備増強のために膨大な税金が使われ、平和な暮らしはおろか、憲法で保障されている条文「すべての国民は文化的な最低限の生活を営む権利」も簡単に打ち砕かれるだろう。他国との争いに武力で対抗するための抑止力強化に血道を上げる前に、高齢者が「存立危機事態」に陥っている老後破産を「抑止」するための「老後の安全保障」こそ真剣に取り組むべき課題ではないか。

どこまでも墜ちゆく国の野分かな　　二郎

（2015年9月15日）

居場所と出番と誉(ほま)れある人生

先ごろ、長野市のスーパーマーケットの一角で高齢者を孤立させないための「お茶のみサロン」が開かれた。お話し相手のほかに、体に合った杖の使い方アドバイスや血圧測定コーナーもあり、高齢者だけでなく一般の買い物客にも大変好評だった。企画したのは長野県シニア大学長野学部の60代から70代の7人グループ。社会活動の一環として3カ月余りかけて実践にこぎつけた。このほか、子どもたちの見守り、認知症カフェへの参加、地域の美化、施設の慰問、そば打ち、防災活動など実践プログラムはじつに多彩だ。

私が関わっている長野県長寿社会開発センターでは、シニア活動推進コーディネーターを県下に配置して、2014(平成26)年度から、さまざまな機関・組織・団体・事業者などと連携してシニア世代の居場所と出番づくり、就業・起業のための橋渡しを進めている。いくつになっても、その人らしい生き方ができ、周りからも認められ、地域の一員として活躍の場がある。そんな環境を整えるのが当センターの目的である。

白馬村を震源とする神城断層地震災害から1年後に大北地域で開催されたタウンミーティングでは、長野県シニア大学の卒業生が全壊した同期生の家に駆けつけて救援にあたった体験を語り、シニアの役割と日ごろからの人間関係の大切さを力説した。

諏訪のタウンミーティングでは、公共職業安定所（ハローワーク）とシルバー人材センターと長寿社会開発センターのコーディネーターが連携して「シニアワークプログラム」を組み立て、それを受講した60歳から83歳までの13人が富士見町の花農家に就業した事例が報告された。

今月初め、長野市で催された「シニア人材＋地域企業交流会」は、現役時代の技術やキャリアを活かして就労を希望する人と、シニア人材を求める地域企業の出合いとマッチングの場となり、まさに「元気シニア活躍の時代」を実感した。その一方で、たとえ介護を受ける体や障害者になっても、最期まで「その人らしい居場所と出番があり、誉れある人生をまっとうできる地域づくり」こそ私たちに課せられたミッションではないかと強く思った。

（2015年12月8日）

「老い」への視点

92歳で往生した母がよく「なにもできなくなって、お国の世話になってまで長生きなんてごめんだね」と口癖のように言っていたのを思い出す。確かに「老い」には、老残、老廃、老害、厄介者、社会のお荷物といった負のイメージがつきまとう。彼女はそんな自分の〝みじめ〟な姿を拒否したかったのだろうか。

いま、「老い」が取り上げられるとき、それはまず寝たきりや認知症の介護、さらには社会保障の問題としてである。急速な超高齢化の中で、団塊ジュニア世代がすべて75歳以上となる2050年には日本の社会保障制度は破綻するだろうという予測がある。私たちはそうした時代の到来におびえている。

私たちの社会は、なにかを生み出すことに大きな価値を見いだしてきた。「子どもを産まない人は、生産性がない社会のお荷物」と公言して顰蹙（ひんしゅく）を買った女性の国会議員がいた。ものの価値をその生産性から測る、あるいは命の本質を生産性に見る方法を「生産力主義」という。「なにもできなくなって」という老母の嘆きもこうした時代の価値観に影響されたものだったのかもしれない。

近代化以前の家族や地域共同体では、生まれ、遊び、学び、働き、隣近所で助け合うことと同じように、その土地で「老いる」ことはごく当たり前に受け入れられていた。老人は共同体の長老として尊敬された。信州の民話『姥捨山（おばすてやま）』のテーマは老婆を知恵者として敬えという教訓である。

「老い」は、決して老害、厄介者、社会のお荷物ではなかった。それが近代化の生産力主義の中で「老い」は庇護（ひご）すべきものとしてしか見られなくなり、弱者対策や福祉制度の対象になってしまった。つまり共同体の中で培われてきた「存在すること」の意義や密度の濃い人々のつながりが社会保障問題にすり替わってしまったのである。

「老い」を心身の衰えといった「喪失」だけから見るのはもう止めよう。たとえどんな状態になっても、老いる過程で人は新しい人生の価値を創造していく。自分の歩んできた体験を次世代につなぎ、いのちの連鎖を見届けるのが高齢者の役割だ。「老い」を肯定的に捉え、人生100年時代を伸びやかに生きる意味はそこにあると思う。

（2019年4月23日）

ライフシフト

最近、「人生100年時代」という言葉がごく普通に使われるようになった。2007（平成19）年に生まれた日本の子どもの半分は、107歳まで生きるという予測もある。もしこれが現実なら、多くの人が一世紀を生きる時代が到来しつつあるといえよう。このほど、長野県シニア大学長野学部で「人生の主人公として100年ライフを楽しむ」というテーマで公開特別講座が開かれた。ライフシフト・ジャパン会長の安藤哲也さんによる講演のあと、受講生約300人が思いを語り合った。私はこの講座のファシリテーターを務めたのだが、深い学びの時間となった。

まず、「人生100年時代をどう捉えますか?」という問いに対して、「さまざまなチャンスが増え、ワクワクする」より「老後が不安、なにをしてよいかわからない」と答えた人のほうが多かったことだ。いくつまで達者でいられるかという健康不安、お金がいくらあれば大丈夫かといった経済的な不安、そして社会情勢や災害に対する不安など、長生きの時代になっても諸手(もろて)を挙げて喜べないということだろうか。

安藤さんは、これまでの生き方や人生観を「人生100年時代」にふさわしい、新しい〝幸せの物差し〟にシフトする(変える)ことを提唱する。そのためには、自分軸を持って老後の長い時間をさまざまなことに挑戦し、マルチライフを楽しむことだという。若いときからマグロ漁船で漁師をしたり、アジアやアフリカを放浪したり、仲間たちとテーマ劇づくりを楽しんだり、海外支援に関わったりと気ままに生きてきた私には安藤さんの「多様(マルチ)な生き方に挑戦しよう」という言葉は共感できた。

すでに、自分流のライフシフトに向かって歩んでいる人たちがいる。丸太を大胆かつ繊細に彫刻するチェーンソーアートのKさん(69歳)。自宅の土蔵を改造してフォークソングが響く「まちの縁側」をつくったTさん(71歳)。サロンを開いて語り合いと学びの場を主宰するMさん(90歳)。信州ねんりんピックのシニア作品展で最高齢者賞を受けた手工芸のTさん(96歳)など、その取り組みは多様だ。関心のある人は、実践事例集『人生ニモウサク劇場』(長野県長寿社会開発センター発行)をのぞいてみることをお勧めする。

(2019年10月15日)

シニア世代の学びの場

「同世代の多様な生き方に刺激を受けました」
「自分のライフワークがはっきりしました」
「超高齢社会のマイナスイメージを払拭して〝老活〟に挑戦したい」

長野県シニア大学専門コースの最終報告会で受講生たちは1年間の成果を熱く語った。

長野県長寿社会開発センターが運営する長野県シニア大学に専門コースを設けて7年目を迎えた。シニア世代が自らの生き方を問い直すとともに、現役時代に培った経験・特技・ネットワークを活かして、さまざまな地域課題を解決するためのプロデューサー的人材を養成する学びの場である。ライフデザイン(創造的な生き方)、コミュニティーデザイン(地域づくり)、ビジネスデザイン(社会的起業)の3コースに分かれ、受講生一人ひとりのテーマに専任の教官がゼミ形式で寄り添う。共通しているのは、自分の思いを語り、他者との対話(等話)を通じて考えを深め、自らの構想を具体化する授業スタイルだ。

「音楽で人と人がつながるカフェづくり」「高齢者の孤独死を減らすために、低年金者の共同生活のハウスをつくる」「移動支援を通じて、一人ひとりが生きがいを持って暮らせる地域づくり」「若者の生きづらさに寄り添う活動」「老いを受け止め表現するシニアの演劇集団をつくる」「仲間と耕作放棄地を活用してヘーゼルナッツの六次産業化で地域の活性化」「不慮の災害に備えて住民同士が助け合う安心の地域づくり」「自治会のあり方を検討するチームを立ち上げる」「哲学対話のサロンをつくる」など、いずれも地域のニーズに応える取り組みである。

２０２４年４月には、１６０人余りのシニア地域プロデューサーが誕生し、県内各地で活躍している。

多様なテーマを持った受講生が学ぶ長野県シニア大学専門コースは全国的にも注目されるようになった。昨年はイギリスのテレビ局「チャンネル４」やアメリカの新聞「ウォール・ストリート・ジャーナル」でも取り上げられた。

人生１００年時代といわれるようになって久しいが、定年延長で70歳まで必死で働いても、その後の30年近い歳月はいかにも長い。無為に老いさらばえるのではなく、いくつになっても実現したい夢があり、仲間とともにそれに取り組み地域に広げる。結果として自分の健康長寿にもつながる。そんな生き方が、いまシニア世代に浸透しつつある。

（２０２４年１月23日）

「また、あっちで話そう」

11月末、学生時代からの親友で元『カメラ毎日』編集長だった西井一夫が逝った。彼がホスピス病棟に移ったのを知ったのは、夏の終わりであった。「俺は、あと2〜3カ月しか生きられない。もう、大酒を食らってお前に罵詈雑言(ばりぞうごん)を浴びせる元気はないが、ゆっくり話をしたい」とEメールが届いた。そのころ私は、「いのちのシンフォニー 2001年の樹」という舞台の準備に追われていた。一刻も早く会いに行きたいと焦る私に、日課のように送られてくる西井「ホスピス通信」の言葉は、私の作品づくりに深い示唆を与えた。

舞台公演を終えた翌朝、新幹線に飛び乗って東京荻窪のホスピスへ向かった。瀟洒(しょうしゃ)な教会堂に面した病室で、彼は映画『E.T.』(スティーブン・スピルバーグ監督)の主人公のようにやせ衰えて横たわっていた。グレゴリオ聖歌が静かに流れる中で、私たちは三十数年前、無頼気取りで新宿の街を暴れまわった日々をたどったり、お互いのその後の人生について、ポツリポツリと語り合ったりした。

彼の最後の仕事は、20世紀の人々を切り取った写真を軸に編集した『20世紀年表』(毎日新聞社)であった。地味な仕事ではあったが、その膨大な記録は、歴史的に大変価値のある出版物として高い評価を受けた。会話がしばらく途切れたあと、彼は小さな声でぽつりと言った。

「傲慢だよ…やっぱり」

「なにが…?」

「人間の営みさ…」

歴史の記憶装置としての写真論を展開し、鋭い批評活動をしてきた彼との最後の会話であった。

大学の同窓生であった西井一夫は、同時代の青春を駆け抜けた同志として忘れられない友人の一人である。告別式が終わって10日後、病床の彼が渾身(こんしん)の力を振り絞って書き上げた『20世紀写真論・終章―無頼派宣言―』(青弓社)が届いた。表紙をめくるとクセのある彼の筆跡で、「ありがとう。また、あっちで話そう」とあった。

(2001年12月20日)

ドクターSと「いのちのバトン」

診察室の窓から今年の山桜を見ることなく、ドクターSが逝った。胃の全摘出手術から1年9カ月、48歳のあまりにも早い旅立ちに私はあふれる悲しみを抑えることができない。

ドクターSとの出会いは6年前の夏、医療フォーラムで末期癌患者の看取りをテーマにした創作劇「いのちのバトン」の脚本・演出に取り組んだときであった。当時長野市の若手医師たちの集まりである医青会の役員をしていたドクターSは、オープニングとフィナーレの合唱の企画に燃えて、医青会グリークラブマネジャーとして近隣の病院や医院の医師たちに働きかけてステージづくりを献身的に支えてくれた。このとき生まれた医療と福祉関係者のネットワークは、いまでも長野市の地域医療の中に活かされている。その彼がこのドラマの主人公と同じ運命をたどるとはなんと皮肉なことだろう。

このときの出会いが縁で、ドクターSにはその後もさまざまな場面でお世話になった。特に忘れがたいのは、ボランティア国際年記念事業として合唱組曲と演劇とバレエを融合させた『いのちのシンフォニー２００１年の樹』のステージを企画・演出したときである。連日の稽古とトラブルで疲労困憊（こんぱい）して家に帰るとメールが入っていた。

「あちらの世界へ旅立とうとしている者に、主題曲『めぐるいのち』は希望と安らぎを与えてくれる素晴らしい作品です。自分を信じてがんばってください」

ドクターＳからの励ましの言葉だった。このとき彼はすでに闘病生活に入っており、大手術後の体を押して県民文化会館でのステージを観にきて称賛してくれた。

それから、あるときは自宅のソファで、あるときは入院先の長野市民病院の病室で、穏やかに語るドクターＳの言葉に耳を傾ける機会を得た。それは、幼いころに故郷の千葉の海で遊んだ思い出から始まり、大好きな音楽の話、人間世界の争いについて、悟りと修羅の間を揺れ動く心の葛藤、医療を受ける側になって初めてわかった患者の心と医療のあり方、遺していく家族への気遣いなど、彼の心の底から発せられるひと言ひと言が染みた。

はるか窓の向こうに広がる晩秋の北信五岳を望みながら交わした会話が忘れられない。

「心残りに思うこと、ありませんか」

長い沈黙のあと、ドクターSは言った。

「準備万端ＯＫ。いのちのバトンを渡して、すべての人にThanks a lot. の心境です」

最愛の家族と心を許した仲間たちに見守られて、ドクターSは静かに帰らぬ人となった。告別式では、コーロソアーベ合唱団の仲間たちによる『めぐるいのち』のハーモニーが棺を包んだ。

私のステージづくりに関わってくれた医師たちも老境にさしかかり、次世代へバトンを渡す年齢になった。いまや彼らは、なくてはならぬ私の心と体の主治医である。


（２００３年4月12日）

私の「新宿群盗伝」

親友、渡辺克巳の奥方から写真展の案内状が届いた。彼は1960年代～1980年代にかけて、〝流しの写真屋〟として新宿歌舞伎町の娼婦、ヤクザ、ゲイ、チンピラ、ヌード嬢、似顔絵描き、ヤクの売人など、いわゆるアウトロー（無法者）の世界に生きる人々に心を寄せ、シャッターを切り続けた写真家である。『新宿群盗伝』『ディスコロジー』（薔薇画報社）、『新宿』（新潮社）などの写真集を出したが、一昨年（2006年1月）64歳で鬼籍に入るまでは写真業界の中でそれほど評価を受ける存在ではなかった。

彼が一躍脚光を浴びるようになったのは、ニューヨークでギャラリーを営むアンドリュー・ロスさんが、アメリカでの個展を企画し、「ニューヨークタイムス」紙上で絶賛されてからである。あらためて渡辺克巳の写真1枚1枚に目を凝らしてみると、そこには高度成長期からバブル崩壊期にかけて歌舞伎町に生きた人々の欲望、エロス、怒り、哀しみが凝縮されている。また、どんな不合理な状況でも生き抜く人間のしたたかさやオプティミズム（楽観性）が彼の写真の魅力だ。

　私は70年代の数年間、渡辺と寝食をともにしたことがある。当時、彼は食えない流しの写真屋であり、私は食えないフリーの映画助監督であった。同じ境遇にあった私たちは、たちまち意気投合し「焼き芋屋軍団」なるものを結成した。そして歌舞伎町の群盗の仲間入りをしたのである。闇の世界に生きるアウトローたちは、それぞれ個性的で人間味豊かな物語を持ち、時として怒りと暴力を噴出させた。事件を起こした仲間を警察にもらい下げに行ったり、自殺したヌード嬢を火葬場へ運んだりしたこともあった。

　あれから40年近い歳月が流れた。写真集の中の彼らは当時のまま、ちょっと斜に構えたポーズをとって、おどろおどろしい般若の刺青を見せてタンカを切っているが、いまでは背中の般若も、しわしわの爺になっているに違いない。思えば、渡辺と暮らした新宿は、毎日が血湧き肉躍る人生修行の舞台であった。彼との付き合いの中で、私はどんなアウトローとも瞬時に心を通い合わせる心構えを学んだ。

　あの刺激的な日々が豊かな土壌となって現在の私を形成している。一段落したら、渡辺克巳の写真展が催されているワタリウム美術館（東京都渋谷区）へ行ってみよう。そして久しぶりに歌舞伎町へ足を延ばして、アウトローたちとの痕跡をたどってみたい。

（２００８年3月4日）

時代おくれの喫茶店

東京での仕事の帰りに、学生時代に2年ほど暮らした街を見たくなって日比谷線神谷町駅で途中下車した。私を可愛がってくれた下宿屋の家族と40年ぶりに再会できるかもしれないという淡い期待もあった。地下鉄の階段を上がると巨大なビル群が目の前に迫ってきた。記憶の中にあった角のたばこ屋は高級ブティックに、雑貨屋はイタリアンレストランに、八百屋はコンビニになり、一杯メシ屋があった場所にはテレビＣＭによく出てくる消費者金融が店を構えていた。あれほど慣れ親しんだ通りなのに、見知らぬ街へ迷い込んだ異邦人のようで落ち着かなかった。

かつて私の下宿があった高台へと向かう。日比谷公園での反戦集会や霞ヶ関の官庁街へのデモに出かけ機動隊に蹴散らされて足を引きずって帰った道である。坂の中ほどまで来たとき思わず我が目を疑った。木造の棟割りアパートがひっそりと軒を連ねていた小高い丘陵はすっかり削り取られ、無機的なタワーマンションがそそり立っていた。もちろん、下宿屋のおばさんの消息など調べるすべもない。日本の高度経済成長は、全国の至るところでこのように街の風景を変え、人のにおいを消してしまったのだろう。

もう一つ確かめたい場所があった。よくビートルズを聴きに通った喫茶店〝P〟である。小路を曲がると懐かしい看板が目に入った。店の外壁にツタを這(は)わせたその店は、ビルの谷間に昔のままのたたずまいで残っていた。軋(きし)む木の扉を押して店に入る。木彫のインテリアもステンドグラスの窓もあのころのままだ。かつての定席に腰を下ろしてエスプレッソを注文する。

反戦運動に疲れ、方向を見失いかけていたとき、戦禍のベトナムで生きる人々に会いにいこうと強く決意したのはこの喫茶店であった。そう思ったら悔いのない行動をしてみることだと、背中を押してくれたのはこの店のマスターである。

彼が壮絶な自刃を遂げたという知らせを受けたのは、アフリカの飢餓地帯を旅しているときであった。

カウンターの向こうにいるのは息子だろう。頬のこけた横顔は父親にそっくりだ。懐かしいビートルズの曲が静かに流れている。「Ｌｅｔ Ｉｔ Ｂｅ（あるがままをあるがままに、すべてを受け入れよう）」は私の座右の銘になった。

あれから40年。私はいまだに行方知れずの旅を続けている。


（２００８年5月24日）

未完のオトシマエ

50年ぶりに学生時代の友人Ａと会う約束をした。待ち合わせの喫茶店がある商店街はすっかり変わってしまって、あのころの面影はどこにもなかった。記憶をたどりながら行くと古ぼけた看板があった。風雨にさらされて読みにくくなっているが、ドイツ語で「Freiheit（フライハイト）」と読めた。「自由」という意味だ。学生集会やデモに行く前、よくAと待ち合わせた場所である。地下に通じる急な螺旋階段を下りて重い扉を押し開けると、奥から懐かしい声がした。

「よっ！ こっち、こっち」

「元気そうじゃないか」

「まあトシ相応さ。お互いに老いぼれたな」

とAが老眼鏡越しにいたずらっぽく笑う。50年前、この店で私たちは口角泡を飛ばして、権力の不合理を問い、己の存在理由、解放闘争の行方などについて議論し集会やデモに飛び出していった。機動隊に蹴散らされて逃げ帰ってくるとヒゲ面のマスターがなにも言わずにかくまってくれた。店内にはゲバラの写真が掲げられ、ボブ・ディランの反戦歌が流れていた。

「あれからどうしていた?」とAが私をのぞき込む。私はベトナム戦争やカンボジアでの体験、インドやアフリカへの旅、病気をして帰郷してからの日々について話した。Aは黙ってテーブルに目を落としてコーヒーをすっていた。

「ところで、お前は？」と彼に問う。Aは大手商社の海外駐在員としての道を歩み、重役まで勤め上げた来歴をやや自嘲を込めて語った。長い沈黙が流れた。

「ところで…」とAがつぶやいた。

「俺たちが求めた社会は、どうなったんだろう」

学園闘争の嵐の中で、あらゆる既成の価値や権威を疑い否定していた同世代の多くは、やがて高度経済成長の渦に巻き込まれていった。そして経済性・利便性・効率性を至上の価値とする社会の担い手になった。いま進行しつつある格差と貧困、孤独死、老後破産、環境破壊などの歪(ゆが)みは、自らの世代が生み出した負の遺産そのものではないか。そして、私たちがなによりも求めていた自由と平和はどうなった？

こんな危殆(きたい)に瀕(ひん)した国にしてしまったのも我々自身であることを忘れてはなるまい。戦後を生き、いま老境にさしかかった世代がなすべきことは、この不合理な状況に向き合い異議を唱え続けることではないか。50年ぶりに熱く語り合った二人は暮れなずむビル街に出て、共謀罪法案が強行採決されようとしている国会議事堂前へ急いだ。

共謀罪法は２０１７（平成29）年６月に成立し、同年７月11日から施行されている。政府に反する抗議活動などに適用されれば表現の自由や言論弾圧に、捜査権限が拡大すれば監視社会につながる恐れがある。

（２０１７年７月４日）

長野県シニア大学での授業

新宿で焼き芋の屋台を引いていたころの筆者

親友の写真家・渡辺克己（右）と

地域を元気にする

「もしも100人の村だったら」

いま、インターネットを通じて一つの民話が世界を駆けめぐっている。「もしも世界の人口が100人だったなら…」で始まるEメールを私が受け取ったのは、ニューヨークで発生した同時多発テロ直後の2001（平成23）年10月初めのことであった。まったく接点のない二人の友人からほぼ同じ内容のメールが届いたのには驚いた。

その内容は「20人が世界の富の90パーセントを握っています。食糧援助よりも化粧品に40倍のお金が使われる間に、15人が飢えで苦しんでいます。そして、教育よりも武器に10倍ものお金が使われているため、16人は字を読むことはできません…」というものであった。

このネット上の民話は転送を繰り返すたびに少しずつ変容しながら、あたかも伝言ゲームのように急速な勢いで広がっているという。そして昨年暮れ、『世界がもし100人の村だったら』（池田香代子著　2001年　マガジンハウス）という書籍として発刊されると、瞬く間にベストセラーになった。

この現代の民話が意味するものは一体なんだろう。63億の世界の人口を100人という縮小された村の物語に置き換えることにより、地球の裏側で飢えや貧困に苦しむ人々をより身近に理解でき、実感を持って「恵まれた」側にいる自分たちの生き方を問い直すことができるということだろう。

先日、ある研修会で「長野市がもし100人の村だったら」というワークショップが行われた。36万人の長野市を100人の村にたとえると、男は49人、女は51人になる。14歳までの子どもは15人、15歳から64歳までの大人は66人、65歳以上のお年寄りは19人だ。1年間に新しく生まれた子どもは0・9人、自殺の死亡率は5年前の2倍になっている。この村に一人暮らしのお年寄りは何人いるのだろう。DVやいじめは起きていないか。住民一人ひとりのことがとても気になる。〝長野村〟を未来に向けてどのように変えていったらよいのか。そして、日々の暮らしの中で私たちにできることはなにか深く考えさせられた。

「100人の村」の民話は、さまざまな進化を遂げながら、いまもインターネットの大海を泳ぎ続けている。そして、最後はこう結ばれている。

「もしも、たくさんの私たちがこの村を愛することを知ったなら、まだ間に合います。人々を引き裂いている非道な力からこの村を救えます。きっと」と。

（２００２年2月23日）

古里（ふるさと）地区の未来地図づくり

「（長野市）古里地区にこんな獅子舞があるなんて知らなかった」

「いやはや、大した未来地図だ」

「こんな地図を書いちまえば、当分死ねねえわな」

喝采（かっさい）と笑いの合間に会場からさまざまな声が聞こえてくる。次々と繰り広げられる神楽囃子（かぐらばやし）と、暴れ獅子・男獅子・女獅子・親子連獅子などの伝統芸能や、趣向を凝らした地域公民館ごとの未来地図の発表に、私は圧倒されっぱなしの1日だった。

ひょんなことから、4月20日に催された長野市古里地区市制１００周年記念事業

「いきいき古里ふれ愛まつり」にスタッフとして関わることになった。私にとって縁もゆかりもない地域だし、本来「地域の祭りは、そこに住む人々の内発性にゆだねるべきだ」という私の持論に反するので、再三お断りしたが、断りきれず引き受けた。私の役は祭典の部の司会進行だったが、事前の資料集めと準備が大変だった。同じような男獅子、女獅子でも各地区によって由来も舞い方も異なる。

高度経済成長時代、この地域の祭りや伝統芸能は衰退した。それはコミュニティー意識の希薄化と時を同じくしていた。最近さまざまな伝統芸能が復活し技量の向上が図られていることは大変喜ばしいことだ。惹きつけられたのは神楽保存会の大人のメンバーに交じって懸命に笛や太鼓、獅子舞を演じる子どもたちの真剣な眼差しである。子どもたちの心に郷土への愛着が着実に育まれている。

地域公民館単位の未来地図にも感動した。小学生を中心につくった「新町―桜が似合うまちづくり―」、大人たちが知恵を絞った「夢物語―3歳から100歳の未来へ―」「いやしといこいの東富竹」、「GOLD BOX PLAN―夢想金箱―」、100年後を夢見て老人クラブがつくった「下駒沢2102年・夢地図」など、1

枚1枚に熱い思いが込められている。次々にステージで発表が行われ、そのどれもに喝采が送られた。

地域には田園があり、川があり、伝統文化があり、多彩なワザを持った人々がいる。まさに多様な資源の宝庫なのだ。古里地区の人々が挑戦した小地域ごとの未来地図づくりは、こうした足もとの資源の掘り起こしであり、将来に向けて自らのコミュニティーの青写真をつくる第一歩であった。内発的なエネルギーを熟成させて夢をどんな形に実現していくのかとても楽しみである。

（2002年5月11日）

「まちの縁側」5000カ所

いま、長野市内で「まちの縁側」づくりが静かなブームになっている。縁側といえば、昔懐かしい濡れ縁で隣近所の人たちがお茶を飲み、よもやま話に花を咲かせる楽しい交流の場であった。しかし、近代化や都市化の波の中で家々から縁側が消え、人と人のふれあいがなくなり地域の人間関係も希薄になってしまった。同じ地域に住んでいながら孤立し、寂しさや不安を抱えて暮らしている人々も少なくない。こうした人と人の関係を結び直して時代のニーズに合ったコミュニティーの再興を図ろうというのが「まちの縁側」づくりのコンセプトである。

この企ては、長野市社会福祉協議会の中にある長野市ボランティアセンター運営委員会・まちの縁側推進プロジェクトによるものだ。『和気あいあいのまち再興—まちの縁側づくりの提案—』によれば、「まちの縁側」とは単なる場所ではなく、「人が集い、心を通わせ、つながり合う場」であるとともに、「気づき合い、多様な価値観を受け止め合い、地域の中で起きているさまざまな問題解決の場」だという。

プロジェクトは、まち歩きワークショップで見えてきた「まちの縁側」の事例を整理している。

①自宅がまちの縁側の例（よこちゃんちの寄り合い所）
②地域公民館がまちの縁側の例（若団福祉会）
③商店がまちの縁側の例（南京亭）

④鎮守の森がまちの縁側の例（日吉神社の森）
⑤福祉施設がまちの縁側の例（皆神ハウス）
⑥中間支援施設がまちの縁側の例（市ボランティアセンター）

ワークショップでわかったこととして、次のことを挙げている。

①まちの縁側は身近にある
②担っている人が縁側の役割をしていることに気づかずにいる
③地域には縁側になる資源が豊富にある
④縁側になりうる公共の場がたくさんある

つまり「ヒト・モノ・コト・トキ」が豊かに交じり合う多様な場が「まちの縁側」なのだ。

さらにプロジェクトは、豊かな人間関係と安心できる居場所を地域の中に張りめぐらせ、コミュニティーの再興を目指して「まちの縁側」づくり5000カ所を提案している。長野市には住民自治の基礎単位の「区」が450存在する。歩いているエリアに3カ所、各区に10～15カ所の「縁側」ができればこの数字は決して絵空事ではない。
そのためには、すでにある場やモノを見直したり、再発見して「まちの縁側」として位置づけたりしていく必要がある。松代、若槻、芹田、更北、川中島、若穂地区では「縁側づくり実践講座」が実施され、魅力あふれる「まちの縁側」が育ちつつある。「自らの地域を自らの手で」という地域づくりの基本に「まちの縁側」の視点を置いてはどうだろう。

（2009年4月28日）

「無縁社会」とTwitter（ツイッター）

まだ6月だというのに、今年の流行語大賞の有力候補に「無縁社会」という言葉が挙がっている。これまでの日本社会は、血縁、地縁、社縁などの縁によって守られてきた。しかし、最近の統計によれば、人間関係が薄れて親族や故郷との縁が切れ、職場仲間との関係も途切れ、自分が暮らす地域社会とのつながりもなく、誰にも看取られずに亡くなっていく「無縁死」が年間3万2000件にも及ぶ。

1月31日にNHKスペシャル「無縁社会」がこうした実例をいくつか取り上げると、まずインターネット上で衝撃が広がった。その書き込みの多くが、30代や40代の働き盛りの若い世代だったということが、私にはさらに大きな衝撃だった。特徴的だったのはインターネットのTwitter（現X）に、1時間弱の放送時間中に1万4000もの書き込みがあったことだ。

「俺も仕事がなくなったら、無縁死だなあ」

「結局、俺たちはどうすればいいんだ」

「しょうがないんじゃない？　餓死したらしたまでのこと」

「2ちゃんねる」のサイトをのぞくとこんなつぶやきが飛び交っている。発信の中心層と思われる若い独身男性にとって、番組で映し出された現実は、未来の自分たちそのものに見えたのだろう。Twitterは、スマホやパソコンを通じて同時にメッセージ（つぶやき）を発信し、それを読んだ人から返信を受け取ることができる。そのためインターネット上で顔も知らない者同士が〝つながっている〟感覚を味わうことができる、まさに孤独な「無縁社会」を象徴するツール（道具）である。インターネットで〝誰か〟とつながらなければ不安で、最後まで番組を見続けられなかったのかもしれない。

番組取材班はさらに取材を続け、無縁社会が世代を超えて広がっていく中で〝縁〟を失った人たちをターゲットに「新ビジネス」が次々に生まれている実態を浮かび上がらせた。10分間1000円の有料の「話し相手サービス」から、無縁死予備軍の人たちのための「共同墓」斡旋（あっせん）業まで、まさに孤独な時代のビジネス花盛りである。高齢の家族との同居率は1980年代は7割だったが、いまは4割強に激減し、30年後の生涯未婚者は女性で4人に1人、男性で3人に1人と予測されるという。

政府が強調する「いつ、いかなるときも、人間を孤立させない」社会を実現するために真の政治力が問われている。

（2010年6月1日）

聴くこと、待つこと、触れること

傾聴活動に関わって10年余り。話し手の気持ちに寄り添い、ひたすら聴くことの奥深さを実感している。

どうしてよいかわからないとき、胸の内のモヤモヤを誰かに聴いてもらいたいとき、怒りや苛立(いらだ)ちや不安に押しつぶされそうなとき、たとえそれが捉えどころのない話であっても、じっとそばにいて気持ちを受け止め聴いてくれる人がいるだけで、心が安らぎ軽くなる。これこそ「聴くことの力」である。励ましも答えもアドバイスもいらない。子育てや介助・介護の悩みでも、話し手の心の揺れに寄り添いながら、自らからの足で歩み始めるのをじっと待つ姿勢が大切だ。

脳血管障害や交通事故で言葉を失った失語症の人たちが、あるがままの自分を受け入れ、少しずつ言葉がよみがえってくるのを待つのも同じだ。言葉がうまく出てこなくて言いよどんでいる人に対して待ちきれずに、「結局、あなたの言いたいことはこういうことでしょう」と、つい先回りして助け船を出したくなるが、それは決して当事者の心に寄り添った聴き方とはいえない。ひたすら聴くに徹して向き合い、一片の言葉の復活をともに喜んでくれる人がそばにいることによって失語症の人たちは自らの可能性に自信を持ち、生きる意欲を取り戻すことができる。決して急いではいけない。どんなにたどたどしくても、自分の心情を自らの言葉で表現することに大きな意味がある。

私が関わった長野失語症友の会「ぐるっと一座」の演劇活動を記録した長編ドキュメンタリー映画『言葉のきずな』(田村周監督)はそのことを如実に物語っている。

最近、私はイギリス赤十字社で15年ほど前に始まった「セラピューティック・ケア(治療力のある手当て)」を学んだ。椅子に座ったまま、衣服の上から施術者の手のぬくもりを相手に伝え、軽く撫(な)でさするという技術的にはシンプルなものだが、実際にケアを受けているうちに相手と心がつながり信頼関係が生まれる心地よさを体感した。いま、各地のホスピスや認知症施設で、この触れるだけのハンドケアが導入され、成果を上げている。

先端医療の進歩によって、私たちは人の生命まで操作できる技術を手に入れたが、心のケアに関しては、聴くこと、待つこと、触れることといった、最も原初的な営みについてあらためて考えてみる必要があるのではないだろうか。

（２０１１年1月25日）

失語症テーマ劇へのいざない

「誰にも会いたくない。あんた、こんな醜い体、見ないでよ！」

「ああ、僕はこの絶望の淵から、よみがえることができるのだろうか！」

「よい環境とは、響き合う魂が周囲にあることです」

２０１１（平成23）年1月30日に長野市若里市民文化ホールで一般公開される「失語症フォーラム」に向けて、失語症者や介護家族が長野赤十字病院を稽古場に自らの体験や心情をテーマにした演劇の猛稽古を行っている。

あなたは失語症と聞いてどんなイメージを思い浮かべるだろう？　言葉を失い、考える力も喜怒哀楽を表す能力も失った気の毒な障害者、それとも…。私自身、10

年前、失語症の患者さんと出会い、彼らの心の内を演劇にする手伝いを始めるまで、勝手にそんな思い違いをしていた。

失語症・構音障害は、脳内出血、脳梗塞、交通事故などによって起きる「話すこと」「聞いて理解すること」「読んで理解すること」「書くこと」の言葉の障害である。失語症患者は認知症と勘違いされやすいが、言語機能が失われただけで、人格や判断能力などは発症前の状態と変わらない。県言語聴覚士会の調査によれば2008年の県下の失語症・構音障害の発症者は合わせて1600人余りで毎年増加傾向にある。誰にでも起こりうる身近な障害だが、認知症と同様に一般の理解はあまり進んでいないのが現状だ。

私はこれまで、長野失語症友の会による4作品の演劇の脚本・演出を手がけてきた。『心の言葉聞こえますか』(1999年)、『いのちの言葉響かせて』(2007年)、『言葉を開け ぐるっとの風』(2008年)、そして今回の1時間半ほどの『あるがまま リビング Living』である。この2年間、毎月1回行ってきたワークショップの成果を集大成したものといってよい。

演劇的手法を使って哀しみや喜びを表現したり、即興的なミニドラマづくりを重ねたりするうちに一人ひとりの心が解放され、自信を取り戻し、あるがままの自分を表出できるようになるプロセスは無限の可能性を感じさせる。

失語症というハンディを負っても「自分らしく、あるがままに生きよう」とする姿を演じる役者たち。その迫力とユーモアに満ちた舞台を観れば、これまでの失語症障害者に対するイメージが一変するかもしれない。そしてこのフォーラムを、身近に暮らすすごく普通の隣人として失語症者を理解して、ともに生きる地域づくりを考える出発点にしていただければと思う。

（2011年1月25日）

大震災と向き合う

2011（平成23）年3月11日、東北地方の太平洋沿岸の街が次々と巨大津波にのみ込まれ破壊されていく光景を、リアルタイムの中継映像を見ながら我が目を疑った。それは悪夢でもパニック映画でもない紛れもない非日常の現実だった。テレビ画面に映し出された宮古や大船渡は、私が40年余り前、漁師をしていたころ仲間たちと闊歩した街である。その懐かしい漁師町に暮らす素朴な人々の日常が目の前で津波にのみ込まれ廃墟と化した。もちろん昔の漁師仲間の消息を確かめるすべもない。

ちょうどその1週間前、私は講演で岩手県奥州市の水沢・江刺地域を訪ねたばかりだったので、さっそく役場の職員にメールで現地の様子を問い合わせた。

「私たちは内陸部なので幸い大きな被害はなかったけれど、宮古や大船渡は壊滅状態です。すぐ救援に出かけるところです」

という返信がきた。数日後、彼から送られてきた写真は、テレビや新聞ですでに見慣れた光景とはいえ、その惨状に心が震えた。一瞬にして人間の暮らしを破壊し、命を奪い、生き残った人々の日常を打ち砕いてしまう自然の猛威のもとでは、人間の営みがいかに非力なものであるかを思い知らされた。

震度6の揺れに襲われた福島第一原発は津波に襲われ、日本の原発史上で最悪の事故となった。飛散・流出した高濃度の放射性物質が大地や海を汚染し、農産物や海産物にまで深刻な被害を及ぼした。避難指示は30キロ圏に広がり、故郷に住めなくなった住民が全国各地に避難している。もはや原発の安全性を信じる者はいない。

このたびの震災で、政府や東京電力の責任者たちの口から「想定外の自然災害による…」という言葉を耳にタコができるほど聞いた。人間の都合に合わせて「想定」した数値で自然を抑え込めると信じてきた傲慢さこそいま問われているのではないか。

その一方で、このたびの大震災は、人の気持ちを優しくさせ、人と人の絆の大切さをあらためて気づかせてくれた。地震、巨大津波の中で、肉親を失いすべての財産を失った人々が、不幸と悲嘆のどん底にありながら、困っている人に進んで手を差し伸べる。避難所で見ず知らずの人と食事や寝場所を分け合う。自分たちでルールをつくり、できることに精を出す。あるいは遠く離れた遠隔の地から支援ボランティアが駆けつけ、瓦礫（がれき）の片づけを手伝い、お年寄りの介護を支援する。ごく普通の人々の間に生まれるこうした利他の心こそ、我々日本人の基層に流れる相互扶助

「おたがいさま」の精神文化ではないだろうか。

震災の中でよみがえった利他の心と、「ともに立ち上がろう」という意識の共有をどれだけ持続できるかが、いま私たちに問われている。


（2011年6月22日）

「こだまでしょうか」

東日本大震災のあと、テレビで繰り返し流れたACジャパンのCMの数々。その中で特に印象に残ったのは、ケンカをした子どもたちの短いストーリーに合わせて静かに朗読された詩「こだまでしょうか」である。

地震と津波と原発事故による未曽有(みぞう)の大災害で日本中が打ちひしがれた気持ちになっていたとき、「こだまでしょうか。いいえ、誰でも」というフレーズが私たちの心に優しく響いた。それは今年の2011（平成23）年新語・流行語大賞トップ・テンにも入った。この詩が1903（明治36）年に山口県に生まれ、1930（昭和5）

年に26歳の短い生涯を閉じた童謡詩人、金子みすゞの詩であることを知ってビックリした。なぜ80年も前に書かれたこの詩が私たちの心に響くのだろう。

こだまは、丸ごと受け入れ返してくれる。幼いころ、腕を折って「痛いよー」と言って泣いたとき、母は「痛いね、痛いね」と、私を抱きしめ、痛さを丸ごと受け止めてくれた。そのとき、私の痛さは半分に和らいだ。もし母が強い口調で「そんなことで泣いちゃダメ」「男の子でしょ、我慢我慢」と言っていたら、痛さの記憶をそのまま心の奥に押し込めるしかなかっただろう。

東日本大震災のあと、日本中に「がんばれ」コールが沸き起こった。この言葉に励まされ、勇気づけられた被災地の人は多かっただろう。しかし、その一方で「これ以上どうがんばればいいんだ」という絶望感から、自ら命を絶った人たちもいる。私たちは、一人ひとりの思いや気持ちに〝こだま〟することをしないで、（もちろん善意で）一方的に励ましてはいないだろうか。

金子みすゞの詩は、相手の深い痛みや哀しみを無条件に丸ごと受け止めることの意味を私たちに教えてくれているように思う。いま、時代のニーズともなっている心のケアの基本は、やはり、「こだまでしょうか」。

（2011年12月20日）

被災地の子どもたちを信州に招こう

東日本と長野県北部を襲った大震災から、早くも4カ月が経とうとしている。被災地のニーズ調査のために東北の被災地を訪れた。震災直後の緊急的物資の支援から日常生活への復帰や精神的支援へとニーズが変化している中で、特に子どもたちの心が深く傷つきストレスにさらされているのに胸が痛んだ。テレビなどでは明るく振る舞う子どもたちの笑顔が映し出されるが、そのあどけない表情の奥には親や肉親を失った子どもたちの哀しみがある。校庭に仮設住宅が建設され、自由に遊んだり運動をしたりすることもできない。目に見えない放射線の不安に苦しむ福島の子どもたちは、真夏でも肌を露出することができない不自由を強いられている。

私が関わっている東日本大震災支援県民本部（県民本部）にも、福島県伊達市の教育委員会から「放射能健康被害の恐れと外で遊べないことによる子どもたちの心理的ストレスに対するケアが必要」という内容のニーズが寄せられている。そこで、県民本部では、この夏に被災地から子どもたちを自然豊かな信州に招待して、同世代の信州の子どもたちと交流しながら、のびのびとリフレッシュしてもらうプログラムを実施する団体や組織を応援する「子どもリフレッシュ募金」を県民のみなさんにお願いすることになった。もちろんこの募金による支援は、長野県の被災地である栄村の子どもたちも対象になる。すでに千曲市、阿智村、安曇野市、下諏訪町などでは社会福祉協議会などを中心に実行委員会をつくり、福島や岩手の子どもたちの受け入れ準備が始まろうとしている。

信州各地で被災地の子どもたちを招き、すでに避難している人たちも一緒に楽しい交流プログラムを実現することはできないだろうか。こうした活動を県民挙げての運動に広げ、信州人の心と被災地の子どもたちを結ぶ契機になればと思う。

（2011年7月5日）

信州サマーキャンプ

「きれいな空気をいっぱいに吸って、放射能を気にしないで思いきり遊べた」
「今年初めてプールに入って、モヤモヤしていた気持ちが吹き飛んだ」
「帰ってきた息子が、顔を輝かせて、『今度は僕たちが、困っている人のためになにかするんだ』と言うのを聞いて、わが子の成長ぶりに驚いています」
「長野の人たちの温かいおもてなしの心に感動しました」

この夏、「信州サマーキャンプ」に参加した福島県の子どもと保護者からの言葉である。

東日本大震災でいまなお困難な状況を強いられている被災地の子どもたち、特に放射能の影響でストレスの多い生活を送る福島の子どもたちに、夏休みを利用してリフレッシュしてもらおうと「信州サマーキャンプ」が県下各地で企画された。私が関わっている東日本大震災支援県民本部（県民本部）が把握しているだけでも上田市、伊那市、千曲市、東御市、小川村、川上村など27カ所で、延べ２８００人余りの子どもたちが信州を訪れた。

長野市でも長野青年会議所を中心に実行委員会が組織され、伊達市の七つの小学校5、6年生74人を受け入れ、「がんばれ！伊達っ子！『長野JCサマーキャンプ』」が実施された。子どもたちは善光寺の宿坊3カ所に分宿し、市民プール、善光寺のお朝事（あさじ）、お数珠頂戴（じゅずちょうだい）、お戒壇（かいだん）めぐり、戸隠キャンプ場でのヤキメンづくり、忍者体験など長野市ならではの4泊5日を過ごした。真夏でも長袖、長ズボン、マスク姿で登校し、家に帰っても、窓を開けることも外で遊ぶこともできない福島の子どもたちが、裸になって信州の野山を駆け回り、プールで歓声を上げ、虫捕りやキャンプファイヤーで地元の子どもたちと打ち解けて交流する姿を目の当たりにして胸が熱くなった。こうした信州の夏の思い出は、被災地の子どもたちの心に深く刻まれたようだ。

県民本部では、県下各地で被災地の子どもたちを支援する企画を応援しようと、6月上旬に『子どもリフレッシュ募金』を始めた。趣旨は、特にお金のかかる往復の交通費、保険料などを広く県民のみなさんに支援してもらおうというものだ。募金は、幸い目標額である1000万円を超えて1500万円に達した。募金活動は12月末まで継続して、秋から冬にかけてのリフレッシュ&交流事業に活用させていただきたいと考えている。今後とも受け入れ企画、資金面での支援を期待したい。

(2011年9月27日)

「聴く力」と心の支援

テレビの特集番組で年老いた女性が、津波の痕跡が残る浜辺にたたずみ、海に向かって手を合わせていた。長い祈りのあとで彼女は顔を上げ、あふれる涙を拭(ぬぐ)いながらなにごとかつぶやく。カメラが近づくとその声は、東北訛(なま)りでとぎれとぎれに「わたスは独り…、どうやって…、生きていぐの」とつぶやく。長年連れ添った夫と息子家族全員を喪(うしな)い、一人残された彼女は毎日この浜に来て、再び会うことのない家族に語りかけているのだという。

震災からまもなく2年4カ月となり、復興の姿は少しずつ見え始めたものの、愛する者を失った深い哀しみや絶望感は、あのときのまま少しも癒えていない。むしろ仮設住宅での孤独な夜など、寄る辺ない感情に押しつぶされそうになるという。

この夏、清泉女学院大学・短期大学では希望者を募り、岩手県の釜石と大槌に震災ボランティアを派遣する計画が進んでいる。仮設住宅の集会所を訪ねて被災した人々の心の支援をするのが主なミッションである。私はこの10年、傾聴活動に関わってきたこともあって事前研修の講師に呼んでいただいた。私は、相手の心に寄り添って、一人ひとりの感情や気持ちを共感的に受け止める大切さとその態度について話をした。人は、ひたすら聴いてもらうことによって気持ちが楽になる。聴くことは最大の心の援助であり、しっかり受け止めてもらうことで「自分は一人ではない」という気持ちになれる。「世の中の不特定多数の一人ではなく、『私』を気遣う声、『私』に思いをはせる眼差しに触れることで、私は私でいられる」という臨床哲学者の鷲田清一さんの言葉も使わせていただいた。

講義のあと、二人一組のペアをつくり「話し手」と「聴き手」になって、相手の心に寄り添って聴く実習をしてもらった。Facebook、LINEといったSN

S（交流サイト）に慣れた世代にとって、相手としっかり向き合い、眼を合わせ、言葉だけではなく、目や顔の表情、うなずきなど体全体を使うコミュニケーション体験は新鮮だったようだ。この夏休みに、被災地の人々から届く心の声に若い学生たちがどれだけ深く耳を傾けられるか期待したい。

（2013年7月9日）

熊本地震と子どもの心のケア

熊本地震被災地のニーズ調査に出かけた。訪ねたのは、特に被害が甚大だった益城町、熊本市南東部、南阿蘇村などだ。倒壊の恐れのある家屋には、「危険宅地」の赤紙が貼られ、危険度「要注意」以上の自宅で生活する人たちもいた。テントや自家用車の中で宿泊を続けている家族もいる。追い打ちをかけたのが梅雨末期の豪雨と猛暑だ。長い避難生活のストレスで持病が悪化した人や災害関連死も増えているという。おぼつかない足取りで片づけをしていた老爺（ろうや）の「長生きも考えもんですたい」というつぶやきが耳に刺さった。

特に深刻なのが子どもの心のケアだ。熊本県教育委員会の発表によれば、地震のときの恐怖がよみがえって「奇声を上げる」「突然走り出す」「夜一人でトイレに行けない」「眠れない」「イライラする」「涙があふれる」といった訴えをする子どもが目立つという。中でも震度7を2回経験した、益城町、南阿蘇村、西原村の小中学校の児童・生徒のうち、カウンセリングが必要な子どもは1割強、熊本県全体では約4300人に上るという。また長い避難生活のストレスはPTSD（心的外傷後ストレス障害）につながる恐れがあるといわれる。スクールカウンセラーや臨床心理士が巡回して相談にあたっているが、十分なケアができていないのが実情である。

私が訪問した南阿蘇西小学校の奴留湯（ぬるゆ）校長からは、「子どもたちは、避難所や車中泊で体も心も萎縮してストレスでいっぱいです。長野県の子どもたちとスポーツ交流をしたり、遊んだり、民泊をして農業体験でリフレッシュするプログラムはできないだろうか」という申し出を受けた。

東日本大震災のとき、私は東日本大震災支援県民本部の運営委員長を務めたが、そのときも東北の被災地の子どもたちを県下のさまざまな団体や市町村の協力で「子どもリフレッシュ交流事業」に招いて大変喜ばれ、成果を上げることができた。被災地の子どもたちのストレスを少しでも解消するための取り組みを県民が一体となって実現できればと思う。

（2016年8月9日）

あこがれ大人塾

故郷の小学校が企画した「あこがれ大人塾」で話をする機会があった。60年以上前、私が通った村の小学校は閉校になり、二つの小学校が統合されて、全児童数34人の長野市で一番小さい小学校になっていた。うれしかったのは、昔と変わらない豊かな自然の中で、地域の人たちと学校が協力して、少人数だからこそできるプログラムが数多く工夫されていることであった。その一つが、地元出身の先輩を招いて生き方や考え方を学び、自分のこれからに活かす「あこがれ大人塾」である。

私は若いころから、ベトナム、カンボジアの戦闘地域やインドやアフリカを取材してルポを書いたり支援活動をしてきたりした。そうした行動の原点になったのが、小学校のとき読んでもらった、金子みすゞの詩「大漁」である。陸では人間が大漁を喜んでいるけれど、海の底では、親や子どもを失った何万の魚たちがどんな思いをしているだろう、という私たちに見えないところ、知らないところで悲しんだり、苦しんだりしている生き物たちのことを思う気持ちを歌った詩である。

ベトナムの戦火の中を逃げ惑う子どもたちや、私たちが何気なく捨てるプラスチック製品の破片（マイクロプラスチック）が海の生き物たちの命を脅かしている映像に小学生たちは興味を示してくれた。

「えええっ！」と声が上がったのは、エチオピアの飢餓地帯を訪ねたときの、飢えて骨と皮になった赤ん坊が母親のボロ布のようなやせ衰えた乳房をまさぐっている写真だ。現在でも開発途上国では、飢えのために1年間に590万人の子どもたちが5歳を迎える前に命を失っている。1日に約1万6000人、およそ5秒に1人の割合である。小学校に行きたくても行けない子どもが世界には約6100万人いるのだ。

私が伝えたかったのは、自分たちの豊かな食事や楽しい学校生活の彼方に、戦火におびえたり、飢えに苦しんだりしている人々がいる現実だ。そして世界中の誰もが自分らしく生き、夢を実現できる社会を考えられる人になってほしいということだ。

後日、児童全員から感想が届いた。

「へいわにできるようにしていきたい(1年S)」

「私も自分だけじゃなくて、みんなのことを考えたい。(2年Y)」

「せかいの人につながっているのだと思いました。(2年R)」

「世界には学校にいけない子や親のいない子がいることがわかりました(4年T)」

「ぼくたちは幸せだとわかった。世界には悲しい思いや苦しんでいる人がいることがわかった(5年I)」

この感性豊かな子どもたちの成長を願わずにいられない。

(2017年9月26日)

認知症とともに生きる地域

先ごろ諏訪で開かれた認知症について考えるタウンミーティングのファシリテーターを務めた。「誰もがその人らしく生きるために―地域で支え合う認知症サポートに向けて―」というテーマである。

認知症の人は、全国で４２６万人（２０１２年厚生労働省統計）、65歳以上の高齢者の７人に１人の割合だという。認知症になれば記憶がなくなり、正常な暮らしができなくなる、意思疎通も不能になり自分が自分でなくなってしまう。これが一般的な認知症のイメージだろう。しかし認知症といってもひとくくりにはできない。パネリストとして参加したNさん（83歳）は、３年ほど前から家事を忘れることが多くなり、専門病院でアルツハイマー型認知症と診断された。とつとつと語るNさんの言葉から、正しい理解と適切なサポートがあれば、できないことが増えても豊かな感情は維持されることがわかった。21歳で見初められて農家に嫁いだ当時の思い出を話すNさんの表情はいきいきとしていた。

岡谷市にある宅老所「我が家」では、毎週火曜日に「ぐらんまんまカフェ」を開き、認知症の入所者がお店のスタッフとして活躍している。運営する今井祐輔さんによると、「認知症になっても、残された能力を活かして、人と関わりを持つことで自分が役立っていることが実感でき、自信や生きる意欲につながる」という。

カフェでは、注文をとったり、テーブルに運んだり、洗い物もする。正しく聴き取れないことや、時間がかかることもあるが、この店では間違いも許される。このような緩やかな雰囲気は効率主義に縛(しば)られた私たちに、寛容な共生社会のあり方を示唆しているように思える。

冒頭のワークショップ「旗揚げアンケート・セッション」では、「自分が認知症になっても、サポートを受けて地域で暮らしたい」という人が多いのに驚いた。

医療・介護連携センター「ライフドア諏訪」の蟹江由美子さんは「早期発見、早期対応、包括的なケアシステムとともに、日ごろからの近隣の人間関係が重要である」という。富士見町では、社会福祉協議会が「見守りネットワーク」をつくり、講習を受けた住民が認知症の人たちの支援に関わっている。

これまでの認知症をめぐる支援制度は、行政、医療、介護などサービスや支援を提供する側の視点で語られることが多かったが、これからは認知症当事者をはじめ、家族の会、地域住民などの意見や提案を取り入れた地域ぐるみのサポート体制づくりが必要であろう。

（2018年8月14日）

ムラ歌舞伎を育む力

30年ぶりに大鹿歌舞伎、秋の定期公演を観た。南信州の民俗芸能の取材をして以来だ。山の木々が色づき秋の陽光に映える中、村の市場神社（塩河）の舞台の前に詰めかけた観客が、地面に敷かれたゴザの上に座を占め、役者が大見得を切ると「よーっ、待ってました！」と大声をかけ、おひねりが霰（あられ）のように舞台に投げられる。役者と観客が一体となって芝居を盛り上げる雰囲気に心が躍り、私も思わず「いいぞ、十次郎！」と叫んでしまった。観客が弁当や酒・茶を持参して飲み食いしながら村歌舞伎を楽しむ姿も当時のままだった。

今年の演目は、『玉藻前旭袂（たまものまえあさひのたもと） 道春館の段』と『絵本太功記十段目 尼崎の段』。演じるのは、農民、村役場の職員、会社員、社長、主婦、旅館の主人など、いずれも村民による本格的な地芝居である。配役の中には高校生が4人もいた。開演前に大鹿歌舞伎の楽しみ方を観客に解説をしたのが黒子の装束をした中学生たちであったことも驚きだった。

定期公演が終わった夜、義太夫（ぎだゆう）弾き語りの第一人者として大鹿歌舞伎を復興させ、後継者の育成に力を注いできた片桐登師匠（元教育長・現大鹿歌舞伎保存会顧問）を宿にお招きして話を聞く機会に恵まれた。

30年前、絶妙な語り口で私を虜（とりこ）にした師匠も今年90歳。足腰は弱くなったが、歌舞伎への情熱は少しも衰えていない。彼によれば1975（昭和50）年に、村議会や教育関係者を説得して中学校に歌舞伎クラブを設立した。目的は「300年も受け継がれてきた伝統芸能を学ぶ中で、郷土に誇りを持てる心を育む」ことだった。

片桐さんは自ら中学校に通って歌舞伎の伝承に全力を尽くした。いまも中学校の文化祭では毎年村人を招いて歌舞伎の発表会が行われている。まさに「信州型コミュニティースクール」の原型である。巣立った卒業生の中から15人ほどが大鹿歌舞伎の役者となり、全国公演はもとより、ドイツやオーストリア公演でも大役を果たした。伝統文化継承の実績が認められて、国の重要無形民俗文化財の指定も受けた。

いま、大鹿村は過疎化の真っただ中にある。往時5000人いた人口は1000人にまで減少。人材不足は深刻である。大鹿歌舞伎存続の危機は過去に幾度もあった。幕府の弾圧、戦時下での興行、敗戦、「三六災害」での壊滅的被害…。どんな危機の中にあっても村の歌舞伎は途切れることはなかった。村内の舞台が連携し、住民が役割を分担し、一人で二役も三役もこなして困難を乗り越えてきた。そこには村人の強い意志と、自治の力が深く息づいているように思える。

大鹿村から帰って、年々衰退しつつある我が近郷の村祭りのことを考えさせられた。

（2018年11月6日）

故郷の小中学校が消えてゆく

1949（昭和24）年、県下初の組合立中学校として開校した信更（しんこう）中学校が、今年度をもって74年の歴史に幕を閉じる。1955年に卒業した私の母校である。このほど催された最後の学校祭「すずらん祭」に複雑な思いで参加した。64年前の私たちの学年は172人もいたが、今年の3年生は6人（男子4人、女子2人）。むろん昔のようなにぎわいはないが、生徒会メンバー一人ひとりが役割を持って創り上げたプログラムや作品は感動的であった。特に6人の生徒と先生全員で歌いあげる合唱『翼をください』と『この地球のどこかで』は、自由に世界をほっつき歩いてきた自分の来し方に重なり、熱いものがこみ上げてきた。

学園祭の午後、荻原健司市長の元オリンピック選手らしい講演があり、閉校記念式典は粛々と終わった。しかし、なにか〝かみ切れない〟思いが残った。

信更中学の閉校は保護者や住民自治協議会が熟議を重ねた苦渋の結論であったという。故郷から小学校も中学校も消える日が来る。過疎化、少子化による児童・生徒数の減少は信更地区だけではない。中山間地のみならず都市部でも深刻な問題である。そうした中で住民の創意工夫でこの課題に立ち向かっている地域もある。

全国で初めて山村留学に取り組んだのは長野県の八坂村（現大町市八坂）である。近くには１９９７（平成９）年、旧更級郡大岡村に開設された「山村留学 大岡ひじり学園」がある。少子化対策だけでなく当時の村長の「日本の子どもを大岡で育てよう」という熱い思いがあったという。長野市に合併後は市教育委員会に運営主体が引き継がれ、公益財団法人「育てる会」が受託している。この26年で３００人余りを受け入れた。今年の留学生は小学生５人（大岡小全児童数12人）、中学生10人（大岡中全生徒数14人）だ。期間は1年が基本だが2年、３年と継続する子どももいる。運営方式は寮・民泊の併用で、月の３分の2は寮での集団生活、残りの３分の１は農家にホームステイしながら地元の小・中学校に通う。

山村留学は自然体験や生活体験によって子どもたちに「生きる力」を育むだけでなく、大岡住民の愛郷心や教育力の掘り起こしにもつながっているという。

大岡住民自治協議会には「学園を支援する会」がある。有志がＮＰＯ法人「Ｏｏｏ

ｋａ 森の学び舎」を立ち上げ活動している。豊かな自然と農村の暮らしの中で培われた住民の誇りと懐の深さが都会の人々を惹きつけ、移住者の増加にもつながっているのだろう。

開設以来26年にわたり、大岡ひじり学園長を務める青木高志さんは、「これからは小規模校ならではの魅力を発信する時代です」と確信を持って語った。地域で子どもを育てる意味と可能性をあらためて考えてみたい。

（２０２２年10月18日）

長野失語症友の会による演劇の脚本・演出を手がけた

海の向こうで考えた

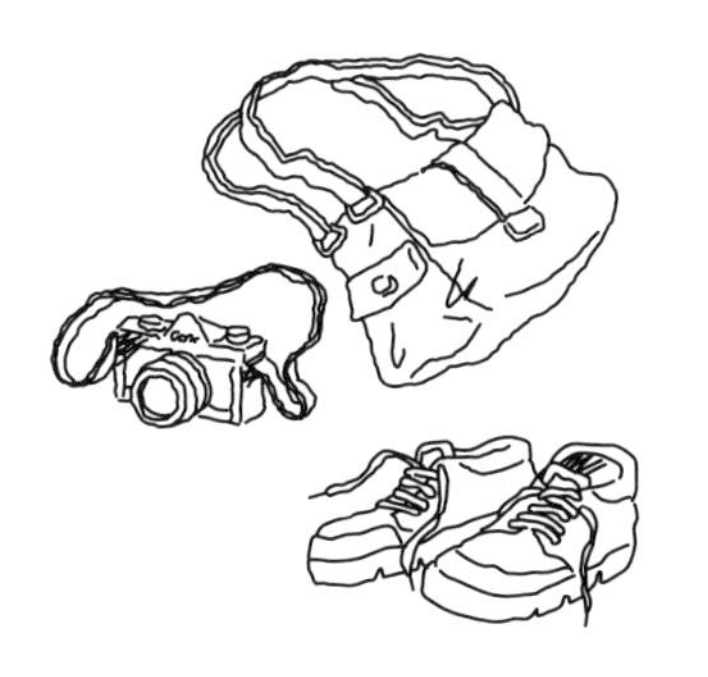

キリマンジャロの案内人

30年も前のことだ。行方定まらぬ人生をうろうろしていた私は、アフリカ大陸を放浪していた。ケニア国境からタンザニアへ抜けると彼方にアフリカ大陸最高峰のキリマンジャロ（5895メートル）が神々しくそびえていた。ヘミングウェイの小説『キリマンジャロの雪』を愛読していたこともあって、あの頂きに立ってみたいという抑えがたい衝動に駆られて、ふもとの町モシへ向かった。「40歳の不惑の年にアフリカの霊峰を極めることで、自分の人生が新しく拓けるかもしれない」という淡い期待もあった。

身勝手な思いつき登山者だったが、管理事務所は簡単に入山許可証を出し、登山に必要な装備を貸与し、英語が話せるベテランガイドのムーサ老人（70歳）とポーターとしてチャガ族の少年を3人紹介してくれた。私たちはすぐに打ち解け、1週間の行程でウフルピーク（自由の峰）を目指して出発した。

中学校のときに飯綱山と戸隠山に登ったぐらいで、本格的な登山経験は皆無の私にとって〝不惑の挑戦〟はいささか無謀だった。険しい山道に入ると、ぜい肉でダブついた私の身体はすぐに悲鳴を上げ始めた。少年は3人分の水や食糧の上に私の荷物をすべて背負い、黙々と急峻な山道を登っていく。アメリカの若者たちの一団が猛スピードで私たちを追い越していった。呼吸が乱れ足が止まってしまう私をムーサ老人は、慈悲深い微笑みで振り返り辛抱強く待ってくれた。

「ポレポレ行こう。登山は長い人生と同じ。一歩一歩踏みしめて」

老人のたどたどしい英語が心に染みた。「ポレポレ」とはスワヒリ語で、「ゆっくりゆっくり」という意味である。

1日目のキャンプ地では、アメリカの神風登山のグループが酒盛りをしてバカ騒ぎをしていた。「山の神に1日の無事を感謝しなければ」と老人は部族の伝統的な作法で祈りを捧げる。私は茜(あかね)色に染まる神秘的な雲海を眺めながら己の来し方行く末を考える。少年たちがつくってくれた鶏肉料理の夕食は格別にうまかった。その夜、老人は厳しい自然とともに生きる知恵を確信に満ちた口調で語ってくれた。

4日目。いよいよ頂上アタックの明け方、岩場に張りつき、薄い空気にあえぎながら天を仰ぐと手が届きそうな頭上に息をのむような満天の星が広がっていた。ムーサ老人が呪文のようにつぶやく「ポレポレ」という言葉に導かれて最後の岩場を這(は)い上がると、目の前に白銀に輝くウフルピークが私を待っていた。

あれから30年、私は当時のムーサ老人の年になった。しかし、いまだにポレポレ人生の真っただ中であえいでいる。


（2013年9月24日）

死を待つ人の家

「チョット、オネガイガアル」

ガンガー（ガンジス川）の沐浴(もくよく)場でヒゲを剃(そ)っていると、不意に土くれのような男の手が伸びてきた。驚いて振り向くと、拳(こぶし)から1本だけ突き出た男の中指が私の安全カミソリを指さしていた。インド最大の聖地ベナレス。その沐浴場には、毎日何万人ものヒンズー教徒が安寧を求めてやってくる。

30年ほど前、インドを放浪していた私はこの聖地にたどり着くと、日がな一日ガンガーの沐浴場へ出かけて人々の祈る姿を眺めていた。そんなある日、声をかけてきたのがその男だった。

「オヤジノ、カオヲソッテモラエナイカ」

ベンガル訛り(なま)のひどい英語だったがなんとか理解できた。案内されたのは火葬場の裏手にある「死を待つ人の家」。異臭が漂う薄暗い部屋、その隅に寝かされている枯れ木のような老人を数人の男女が囲んでマントラ(真言)を唱えていた。老人の目は固く閉じられていたが、かすかな胸の動きでかろうじて命が保(たも)たれているのがわかった。

この国には、死者を火葬して遺灰を聖地の川に流す風習がある。川辺には、いつも死者を焼く煙が立ち上っていた。インド北部の村から死期の迫った老人を車に乗せてやってきたこの一族は、もう2週間もこうして〝そのときを〟待っているという。

「マキダイガシンパイダ」

一族の毎日の食事代で火葬に十分な薪を買う金が足りなくなるのを男は案じてい

た。以前、写真集で見たガンガーの中州で半焼けの人間の死体が犬に喰われている光景が脳裏に浮かぶ。

彫りの深い老人の頬はじっとりと汗ばんで、枯れ草のようなヒゲが繁茂していた。時間をかけて泡立てた石鹸を塗りこんでから慎重にカミソリを当てる。老人の息は安定している。なめらかな褐色の肌が現れると周囲から「フウ」と安堵のため息が漏れる。ふと目を上げるとランプの光の中に、明らかに「らい菌」に侵された痕とわかるハンセン病の人々の眼が私の手元を見つめていた。彼らはこの国で最も忌み嫌われている人々であることを知っていたが、私には嫌悪の感情は少しも起きなかった。むしろ、この摩訶不思議な暖かい眼差しの中にいるのが心地よかった。こんな縁で私はその老人が息を引き取るまでの半月余り、一族の一員のように老人の世話を手伝わせてもらった。老人の臨終は安らかだった。薄く両の眼を開け、マントラを唱える看取りの人々に軽く微笑むと静かに息絶えた。それはごく自然で幸せな来世への旅立ちであった。

いまでも「旅の宝箱」の底に眠る安全カミソリを手にすると「死を待つ人の家」で

の日々が鮮明によみがえってくる。

（2009年10月6日）

エイズ孤児の家

「ムズーリ・サーナ（とってもおいしいよ）」

カリエスタちゃん（6歳）がビデオカメラに向かっておちゃめなポーズをとった。赤土の庭に敷かれたゴザの上で子どもたちが円座になって朝の食事をしている。アルミの器に盛られているのはウガリ（とうもろこしの粉を練って蒸かしたもの）。おかずはないが、マンゴージュースの入ったコップを片手に口いっぱいにほおばる子どもたちの表情は無邪気だ。しかし、どの子どもの体も驚くほど細い。明らかに栄養失調による発育不全の症状が現れている。

「でも、ここでは食べ物のことでケンカしないですむし、安心して眠るところもある」

2年前、父親と母親を相次いでエイズ（後天性免疫不全症候群）で亡くしたフェスト君（13歳）は、いまの幸せをとつとつと語る。

タンザニア南西部に位置するソンゲア市。ここに、エイズ孤児（エイズによって片親もしくは両親を失った18歳未満の子ども）の館「子どもたちの新しい日」がある。代表を務めるレジーナ・チングクさん（58歳）が自宅を開放して始めたものだ。

1980年代半ば、HIV（エイズウイルス）が全世界に広がった。特にアフリカ中南部での感染拡大はすさまじく、2003年の世界の感染者は約4000万人で、そのうち3分の2強にあたる2500万人を占めている。現在でもこの地域で毎月6700人が死に、1100万人～1200万人のエイズ孤児がいると報告されている。肉親を失い、路上に捨てられ、学校に行くこともできない。そんな子どもたちの姿に胸を痛めたレジーナさんが、孤児の受け入れを始めたのは3年前のことだった。

現在は自宅に16人の子どもを住まわせ、親戚などに預けられている孤児32人の食事、衣類、寝具、学費などの面倒も見ている。いくら切り詰めても年間30万円ほどの経費がかかるが公的機関からの支援は一切ない。10年前に長野県飯綱町の男性と結婚した娘の小林フィデアさんからの仕送りが唯一の資金源だ。

「ママがタンザニアでエイズ孤児を救う活動をしていて困っているの。会ってください」とボランティア演劇仲間のフィデアさんから連絡を受けたのは昨年の11月。来日中のレジーナさんの話を聞き、その情熱と献身的な活動に心打たれた私は、仲間と相談して「HIV・エイズネットながの」を立ち上げた。「アフリカから日本のエイズ問題を考えよう。HIV・エイズを予防し、感染者とともに生きる社会をつくろう」というのが設立の趣旨だ。活動の手始めにフィデアさんの案内でアフリカの現実を知るためのスタディーツアーを企画した。県下の企業、医療機関、ボランティアから寄せられた支援金、体温計、学用品、石鹸、サッカーボール、ぬいぐるみなどに、レジーナさんは「みなさんの善意で、子どもたちを少しでも幸せにできます。アサンテ・サーナ（どうもありがとう）」と深々と頭を下げた。

今回のアフリカ旅行で私は、現地の支援グループや多くのエイズ患者の声を聞くことができた。地球市民として私たちにできる支援とはなにか。考えなければならない課題は大きい。

（2006年10月31日）

ツォツィのいる街

映画『ツォツィ』（2005年、ギャビン・フッド監督）のエンドロールが消えても、しばらく胸の奥がずきずきとうずいて立ち上がれなかった。南アフリカ、ヨハネスブルグ。その最大のタウンシップ（旧黒人居住区）ソウェトのスラム街に、ツォツィ（ならず者）と呼ばれる一人の少年がいた。本名は誰も知らない。彼は過去に口をつぐみ、未来からも目をそらして仲間と徒党を組み、銃やナイフを振りかざして窃盗、強奪、カージャック、殺人を働き、憎しみと怒りだけを糧に日々を生きていた。そんなある日、少年は襲った車の中で小さな命（乳飲み子）に出会う。それを契機に、少年のマヒしていた心に「慈しみ」や「生きることの意味」への感情が芽生え、最後にはそれを自ら選び取るという物語だ。決して安易なお涙ちょうだいのストーリーではないが、絶望的な境遇に生きる少年の苛立ちや戸惑いの心の動きが観る者を惹きつける。

この映画には特別の思いがあった。20年余り前、私はこの少年ツォツィの住むスラム街で暮らしたことがある。まだアパルトヘイト(人種隔離政策)が撤廃される前で、毎日ソウェトの至るところで抗議行動や白人警官との衝突が繰り返されていた。夜には非合法の酒場で、ツォツィたちの鬱屈した怒りや暗い過去を聞かされた。1991年、国際世論の高まりと長い闘争の末にようやくアパルトヘイトに終止符が打たれ、黒人初のネルソン・マンデラ大統領の「国民すべてが和解し、ともに虹の国をつくろう」という呼びかけのもとに民主的な国家が誕生した。

あれから十余年、確かに政治的には黒人主導国家となった。しかし、白人の経済支配は変わらず、豊かな生活を手に入れたのは黒人の中のほんのひと握りのエリートに過ぎない。黒人内の格差は新たな憎悪と社会的犯罪の温床を生む結果となった。映画の中でも、郊外の豪邸の前で主人公ツォツィがカージャックする相手が、白人ではなく同じ肌をした黒人であることが現在の南アフリカの状況を物語っている。

エイズ孤児を救う活動団体の人々（南アフリカ）

タンザニアの子どもたちと

南アフリカの旧黒人居住区の子どもたち

私は昨年27年ぶりに、かつて自分が暮らした南アフリカの旧黒人居住区を訪ねた。いまにも崩れ落ちそうなスラムの風景は昔とほとんど変わっておらず、貧困とともにさらに深刻なのはＨＩＶ（エイズウイルス）の蔓延だった。世界で最多のＨＩＶ陽性者（５５０万人）を抱え、成人の感染率は18・８パーセントに上る。路上で暮らすエイズ孤児もたくさんいる。

映画にも、こうした背景が暗い影を落としている。過酷な現実の先にある希望を見つめる『ツォツィ』。この映画が２００６年アカデミー賞外国語映画賞を受賞したのも、その思いが多くの共感を得たためであろう。

（２００７年７月３日）

中国化するチベット

ダライ・ラマ14世が長野を訪れる1カ月ほど前、友人４人と10日間の日程でチベット旅行に出かけた。ナビゲーターは二十数年間チベットの庶民の暮らしに深く分け入り、旅を続けている作家の渡辺一枝さんだ。

私たちが訪れたラサは1年で最もにぎわうサカダワの季節だった。サカダワ、それはチベット暦の4月のこと。お釈迦さまがお生まれになり、悟りを開き、涅槃に入られた月で、仏教徒である彼らが聖地へ巡礼に繰り出す心華やぐ季節でもある。

まだ明けやらぬ街へ出ると、ジョカン寺とポタラ宮殿をぐるりと回って巡拝するおびただしい人々の流れにのみ込まれた。マントラ（真言）を唱えながら、仏具のマニ車を回し、数珠をまさぐり、街のここかしこにある香炉でサン（香草）を焚きながら歩き続ける人々、人ごみの中をひたすら五体投地で進む人など、一体どこから湧き出してきたのだろうと思うほどの人の群れだ。

サカダワの人出を当て込んで集まってきた物乞いが、巡礼路のあちこちに並んで手を伸ばしてくる。人々はその手に1角（約1・3円）とか5角といった小額紙幣を喜捨しながらいく。生きてゆくために親子で物乞いをしている者もいれば、何百キロも離れた地方の村から巡礼に来て路銀を使い果たし、村に帰る費用を喜捨で稼いでいる者もいるという。

「チベットでは飢え死にすることはありません。どんなに生活に困ってもこうした助け合いによって生きていけるんです」とガイドのMさんが教えてくれた。人々の信仰のエネルギーに身をゆだねるように私も歩き続けた。

こうしたサカダワの風景に違和感を与えているのは、迷彩服の中国兵の存在だ。巡礼路の要衝に楯(たて)を持って立ち、小銃を構えた隊列が無表情に行進してゆく。2008年3月の暴動以降、街のここかしこに監視カメラが取り付けられ、中国軍による威圧は止むことなく続いているというが、チベット人の体内を脈々と流れる信仰心まで止めることはできない。

サカダワの15日はお釈迦さまが悟りを開かれた日だ。チベットの仏教徒にとって1年で最も大切な日である。この日は一切の肉や魚を口にしない。小さな生命を慈(いつく)しむために、市場や路上で中国人が売っている生きた小魚を買ってラサ川に放しにいく。これを「放流」とはいわず、「放生(ほうせい)」というのだという。中国人はチベット人が川に放生する魚を下流で待ち受けてまた投網で捕ってチベット人に売りつける。こうした中国人のあこぎな商売に彼らは怒りを向けることはない。怒りや憎しみより小魚の生命を憐れむ心を尊ぶ。

中国の文化大革命時代（1966年〜1977年）、チベットでは約5000もの寺の仏像や文化財が破壊され、僧籍にある者は逮捕され、収容所に入れられたり強制労働を強いられたりした。民衆の前で僧侶と尼僧が性行為を強要させられたといった話まである。こうした歴史の検証がきちんとなされていないまま、チベット自治区の経済最優先の中国化が進められている。特に2006年7月に青海省のゴルムドとラサを結ぶチベット鉄道が開通すると、商機を狙って中国人が大挙して押し寄せ、ラサ市の人口（約46万人）の多数派を占めるようになった。

「北京東路」とか「林聚路」と新しく命名された大通りの両側には、中国人経営の商店・百貨店・スーパーマーケットが軒を連ねる。看板に大書された漢字の横に小さく添えられたチベット文字がなければ、他の中国の地方都市と見まがいかねない光景だ。

「とにかく中国人は、バカでかい門と広場と旗が好きなの」と一枝さんは笑う。チベット仏教と政治の中心であるポタラ宮の屋上にも五星紅旗（中国の国旗）が翩翻（へんぽん）と翻（ひるがえ）っている。そして、門の前には小銃を持った衛兵が民衆に睨（にら）みを利かせているのがいまのチベットなのだ。こうした強権的な同化政策は、かつての日本が朝鮮や中国をはじめアジアの国々を侵略し、日本人街をつくり、鳥居や神社を建て、皇居遥拝（ようはい）を異民族に強要した歴史を思い起こさせる。

「武力で人の心を支配できるはずがありません。彼らは哀しい人たちです。私たちは彼らのためにも祈るのです」

羅漢さんのような風貌をしたMさんの熱い語り口に、これがチベット人の〝慈悲と許し〟の心なのかと妙に納得する。

１９５９年３月、中国の弾圧の中でダライ・ラマ法王14世がインドに逃れ、ダラムサラに亡命政府を樹立してから半世紀余りが経つ。この間にチベットでは自由を求める抗議行動が何度も起こされ、中国はそのたびに武力で制圧してきたが、ダライ・ラマは一貫して中国の強硬政策に対して「非暴力と対話による真の平和の実現」を訴えてきた。

しかし、中国政府の情報統制はますます厳しさを増しているという。チベット問題に関する書物やダライ・ラマ14世の発言についての情報はすべて検閲され、インターネットサイトからも削除されるため、チベットに住む人々はなにも知ることができない。街の中では、制服・私服の公安警察が常に監視し聞き耳を立てている。だから人々は、心の中ではダライ・ラマを崇拝し一日も早い帰国を望んでいても、おおっぴらに口にすることはできない。

6月19日、ダライ・ラマ14世が長野を訪れ、善光寺で一般の市民に対して法話を行う。混迷する現代を生きる我々の心にどんなメッセージを届けてくれるのだろう。

（2010年6月17日）

カンボジア教育支援

「教育の充実こそが、子どもたちの将来に大きな可能性をもたらします。私の余生はカンボジアの子どもたちに夢を与えるために使うつもりです」

プノンペンの降るような星空の下で、コン・ボーンさんは波乱に満ちた半生を熱く語った。ポル・ポト政権時代、徹底した文明否定政策のもとに知識人や教師の75パーセントが虐殺された。コン・ボーンさんを殺しに来たのは、教育を受ける機会を奪われ、殺人ロボットに仕立てられた少年兵だった。キリング・フィールド（殺人の荒野）をかろうじて生き延びたコン・ボーンさんは、プノンペン陥落まで勤めていた通信社のつてを頼って１９８１（昭和56）年に難民として来日。10年後にカンボジアに一時帰国を果たすが、そのときに訪れた故郷の村で、破壊された学校と行き場を失ってさまよう子どもたちの群れに衝撃を受ける。

ポル・ポト政権の負の遺産を目の当たりにした彼は、「教育こそ国の再建に欠かせない」と考え、ＣＥＡＦ（カンボジア教育支援基金）を設立した。横浜市の計器工場で働きながら資金集めに奔走し、日本のＮＧＯやボランティア団体の会合で支援を呼びかけた。そして、１９９３（平成5）年に在日同胞、国際援助団体、ジャーナリスト、ボランティアなどの協力によって、故郷のプレイベン州にバンティアイチャクライ中学校を建設した。以後、次々と学校を完成させ、２０００年1月には、5校目となる半官半民の「カンボジア日本友好学園」を開校。２００２年10月からは高等部を新設し、中高一貫教育を実現させた。

私が訪れたベトナムと国境を接するプレイベン州は、カンボジアの中でも特に貧困地帯で、雨期には田畑も道路も水没し、子どもたちは手漕ぎボートに乗り合わせて登校してくる。掘っ立て小屋で共同生活をし、1日1食300リエル(約8円)まで食費を切り詰めて、親からの仕送りを学資に当てている子どももいる。教科書もノートも行き届いていない状態の中で、子どもたちの目は輝いており、学校に来ることがうれしくて仕方がないといった表情をしている。駆け寄ってきて手を合わせて挨拶する子どもたちに対するコン・ボーンさんの目はどこまでも優しい。

「これからの課題は、子どもたちが十分に勉強できる教材と、家族の貧困を心配せずに学校に通える環境づくりです」

カンボジアから帰った私は、中学時代の恩師と共同で「カンボジア教育支援基金・ながの」を立ち上げた。コン・ボーンさんの情熱的な活動に呼応して長野からできる援助をしようというのである。故郷の信更中学の同期生有志を中心に校舎建設募金も始まった。コン・ボーンさんの志を実現するには多くの人の協力が必要である。

読者にも支援をお願いしたい。

（2005年3月8日）

塾ブームの陰で

今年もカンボジア教育支援の奨学金を届けるために、10日ほどカンボジアの村を訪れた。1年ぶりに再会した生徒たちは驚くほど大きくなっており、「将来はプノンペンの大学へ進学して…」と、口々に夢を語ってくれた。月々600円の支援が彼らにこんなに希望を与えているのかと胸が熱くなった。その一方で奨学金のほとんどが塾の受講料に使われていることを知って、私は複雑な気持ちになった。

いま、カンボジアでは塾通いがブームだ。どんな田舎に行っても塾があり、学校の始業前や授業が終わったあと、国語・英語・数学・化学・物理など毎日4～5教科を塾で勉強する生徒もいる。塾に行かないと全国一斉の高校卒業資格試験になかなか合格できないという現実もあって、生徒たちは、1教科1回300リエル（約

8円)を払って塾に殺到する。三度の食事を1食にして塾に通う生徒の顔は明らかに貧血症の兆候を現していた。塾ブームの背景にはもう一つ、教師の公務員としての給与が月収20ドル~30ドル(約2300円~3500円)でこれではとても生活できないという理由がある。そこで先生方は、学校の外で塾を開き副収入(40ドル~50ドル)を得てなんとか家計を成り立たせているのである。カンボジアの塾ブームは、構造的な問題といえるだろう。

カンボジアを旅して気になるのは、ストリートチルドレンが多いことである。彼らは学校に行くことなく、物乞い、ペットボトルや空き缶拾い、売春の斡旋などでその日暮らしをしている。「稼いだお金はどうするの?」と聞くと、「お母さんに渡す」という答えが異口同音に返ってきた。彼らは、家計を支える立派な「プア・ワーカー(貧しい労働者)」なのである。

「学校は行かないの?」

「行きたいよ、でも制服を買うお金もないから…」

カンボジアの貧困層の中に広がりつつあるさらなる格差。開発途上国への教育支援のあり方をあらためて考えさせられる旅であった。

（2006年8月1日）

ヌーンさんの帰郷

「トンちゃん、会いたかったわ。お利口にしていた？」

生後7カ月のわが子を2カ月ぶりに抱き上げ、頬ずりするヌーンさん（35歳）の両目から涙があふれた。

カンボジア、プレイベン州メヌン村。バナナの生け垣に囲まれた高床式の家がひっそりと立ち並ぶ集落の外れにヌーンさんの実家はあった。彼女の突然の帰郷に近所の人たちが集まってきた。ヌーンさんがうれしそうに事情を説明する。

「この人（筆者のこと）が病院へエイズ（後天性免疫不全症候群）の取材に来て、私の村に行ってみたいって言うもんだから、主治医の先生の許可をもらって連れて来てあげたの」

かねてカンボジアのＨＩＶ（エイズウイルス）・エイズ問題に関心を寄せていた私は、カンボジアの子どもたちに奨学金を届ける活動の帰途、プレイベン市のレフェラル病院を訪ねた。カンボジアでは現在12万人がＨＩＶに感染しているといわれており、エイズを発症して死亡する人の数も増え続けている。特に女性の陽性者が急増しており、その42パーセントが夫からの感染だという。ティム・コサ医師によれば、第一の要因はＨＩＶ・エイズに対する無知と偏見であり、第二は貧困による都市への出稼ぎだという。

メヌン村の全戸数１４５戸のうち、男たちの70パーセントはプノンペンなどの街やタイ国境へ出稼ぎに行っている。出稼ぎ先の歓楽街でセックスワーカーと接触した男たちは村に帰り、妻に感染を広げる。ヌーンさんの夫ハイさん（39歳）もプノンペンでバイクタクシーの運転手をして一家を支えている。彼女も妊娠して血液検査で感染を知った。やはり夫からの感染だった。

「エイズだと知ったときは、目の前が真っ暗になって、川に飛び込んで死のうと思いました。でも、生まれてくる子どものことを思うと死にきれなかった」

7カ月前に双子を出産。母乳を飲んだ兄のトンは母子感染した。しかし、母乳を吐き出してしまった弟のタンは、幸い感染を免れた。2カ月前、ヌーンさんは免疫力の数値が極端に下がったために、7歳になる長男と生後5カ月のタンを義母に、感染しているトンを実母に預けてレフェラル病院のエイズ病棟へ入院した。

「この子のためにも、1日でも長く生きたい」

ヌーンさんはトン君をやせ衰えた胸に抱きしめた。そんなヌーンさんを見守る村人たちの眼差しは暖かい。

つい10年前まで、HIV・エイズはどこでも忌(い)み嫌われ、弔(とむら)いを手伝う者もいなかったという。しかし1999(平成11)年以降、国を挙げて啓発・予防キャンペーンが繰り広げられ、偏見や差別は以前ほどではなくなった。HIV陽性の夫を持つスレイさん(39歳)は「私は大丈夫よ。コンドームなしでは絶対にセックスさせないから」と屈託なく笑う。

約1時間の短い帰郷であったが、村人の励ましと幼い息子のぬくもりに触れて、ヌーンさんは生きる気力を取り戻したようだ。

「今日は、ほんとに幸せでした」

車で病院に帰り着くまで、ヌーンさんの明るいおしゃべりは止まらなかった。

（2007年1月23日）

プノンペンの憂鬱（ゆううつ）

「CEAF（カンボジア教育支援基金）・ながの」が援助してきたカンボジアの学校の卒業生が大学3年生になった。ベトナムとの国境に近い支援先の村を訪ねる途中、プノンペンで大学に進学した卒業生たちに会った。すっかり成長した彼らは、今風の若者ファッションで現れたが、期待とは裏腹にどことなく元気がなかった。

「将来の方針は見えてきたの？」

「自分の進むべき方向がわからないんです」

「なにせ、この不況ですから」

彼らの話を聞いているうちに、アメリカに端を発した金融破綻の影響が、津波のように東南アジアの小国にまで押し寄せていることを実感した。実際、1年前に訪問したとき、中国・韓国などの資本で競うように建設中だった40階〜50階建ての高層ビル工事が中途でストップして、地方からの出稼ぎ労働者であふれていた工事現場にも人影はなかった。学生たちの話では、昨年の秋以降、200を超える縫製工場が操業停止に追い込まれ、プノンペンだけで3万人を超える人たちが職を失ったという。

「その人たちは、どうしているの」

「多分、村に帰るか、街に残っても体を売るしか道はないでしょうね」

一昨年訪ねたエイズ(後天性免疫不全症候群)の村の光景が去来する。街でHIV(エイズウイルス)に感染した男や女たちが村に帰り、エイズを蔓延(まんえん)させる。父親や母親をエイズで失った子どもたちが村から放逐され街に捨てられ、ストリートチルドレンになる。この貧困の連鎖はますます深刻化するだろう。

近代化の潮流にうまく乗って社会的成功と富を得たいと願う学生たちの中で、S君だけはちょっと違っていた。

「僕は、村に帰って父の農業を継ぎます。いま、カンボジアの農業は危機に瀕(ひん)しています。コメの生産高を上げるためにベトナムから大量の化学肥料を輸入し、その薬害でメコン川流域では大変な健康被害が起きています。奇形の子どもも生まれています」

私は、40年前の水俣や阿賀野川の公害を思い浮かべた。

「僕は、カンボジアの農業を自然循環型に戻し、なおかつ地域の人が豊かに暮らせる村づくりしたい。そのために安全な生産物を加工して付加価値をつけて売る、村の人たちとそんな会社をつくることを考えています」

S君の言葉には力があり、遠くを見る目は確信に満ちていた。村にいるとき、決して目立つ存在ではなかった少年がいつの間にか現代の産業社会の矛盾に気づき、こんなにも深くものを考える力を身につけたのだ。今年の夏、彼は日本に来る計画があるという。そのときは、信州で地道に有機栽培を実践している農家や地域おこしでがんばっている人たちをたくさん紹介してあげよう。

（2009年2月10日）

ポル・ポト時代を問う

１９７０年代後半、カンボジア全土で１５０万人から２００万人を虐殺や飢えなどで死に追いやったといわれる旧ポル・ポト政権。中でも最も非人道的な拷問が行われたトゥール・スレン政治犯収容所の生き証人の一人、チュム・メイさん（79歳）を長野に招くことができた。先月末、清泉女学院短大と長野市生涯学習センターで行われた講演会とフォーラムで、メイさんは収容所で受けた耐えがたい拷問の体験を赤裸々に語り、ポル・ポト時代の被害者と加害者の和解と平和の大切さを熱く訴えた。

私が東京や名古屋の知人との共同でチュム・メイさんを日本に招聘(しょうへい)して、多くの日本人に彼の体験を直接聞いてもらいたいと思うようになったのは、ここ数年カンボジアを訪れて取材を重ねるうちに、ポル・ポト政権下で「人類規模の犯罪」といわれる大虐殺（ジェノサイド）が、なぜ、どのように行われたのか、その事実を知ると同時に、私たち自身の心にひそむ「内なる差別や暴力性」（保身のために見て見ぬフリをする、あるいは、いじめ、差別、虐待、戦争に加担してしまう心のありよう等）について現代の日本社会の中でともに考えてみたいと思ったからである。

講演会、フォーラム参加者の反応は期待をはるかに超えるものだった。

「地獄を味わってきたチュム・メイさんの肉声に涙が止まらなかった。人間の心の闇はどこからくるのでしょう」

「人権を学ぶことは歴史を学ぶことでもあると思いました」

「〝許す〟ことと〝赦す(ゆるす)〟ことの違いを知ることができました」

「国家レベルの裁判と草の根レベルの和解をどう考えたらよいのでしょう」

「私たち日本人も加害者であることを考えさせられた」

「日本でも同じことが起こりうる。それをどうしたら阻止できるのか？」

といったアンケートの記述に、チュム・メイさんを日本に招いた意味を実感した。

チュムさんは、日本滞在中、東京、長野、名古屋で講演をし、広島の平和記念資料館、松代大本営地下壕跡を見学した。地下壕を丁寧に案内してくれた深沢孝子さん（72歳）の語りにチュムさんは深く心を動かされ、「日本にもカンボジアと同じよ

CEAF（カンボジア教育支援基金）によって開校した
カンボジア日本友好学園

カンボジア日本友好学園の生徒

トゥール・スレン政治犯収容所の生き証人、チュム・メイさん

うな忘れてはならない歴史があるんですね」と涙して、「お互いに元気で、若い世代に語り継ぐ活動を続けましょう」と固い握手を交わした。同じ志を持って活動するカンボジアと日本の語り部ボランティアの姿に胸が熱くなった。
チュム・メイさんは、いまカンボジアで「クセム・クサンの会」の活動を精力的に進めている。正義を実現し、怨念を乗り越えて心を安らかに暮らせる社会をつくるために。

石室(いしむろ)の痕跡(こんせき)に叛(はん)の消えざる記憶あり　二郎

（2010年11月9日）

松吉さんの戦後

この夏、未帰還兵・藤田松吉さんに33年ぶりに再会した。といっても直接お目にかかったわけではない。何気なく見ていた民放の終戦特集番組に突然彼が現れたのだ。戦後日本に帰ることなく、タイ北部の小さな村で生きてきた松吉さんは今年88歳。ビルマ戦線で負傷した右脚がすっかり衰え、家の中を這い回る姿は痛々しかった。しかし彼の口からほとばしる激しい言葉は、33年前に4日4晩も寝食をともにしながら彼の半生を聞き書きした当時とまったく変わっていなかった。

1974（昭和49）年5月、「ミャンマーとの国境に近いランプーンに行けばフジタという元日本兵に会えるかもしれない」という不確かな情報に惹かれて、バンコクから北行きの夜行列車に乗り込んだ。16時間の長旅であった。焼けつく赤土の照り返しの中を、汗だくになって村から村を訪ね歩き、ようやく探し当てた粗末な高床式の小屋が、元日本軍上等兵の藤田松吉さんの住まいだった。

「畏れ多くも、わしは天皇陛下の赤子ですたい。逃亡兵なんかじゃない。軍の命令に真面目に従ったとです」

「その命令を出したやつらは、わしをほったらかしにして日本へ逃げ帰り、ぬくぬくと暮らしておる。死ぬまでにオトシマエをつけてやりたいです」

ランプの灯りの下で語り続ける松吉さんの眼は怒りに燃えていた。

長崎市の浦上天主堂のそばで生まれた松吉さんは、１９３７年に徴兵検査で甲種合格、十八師団五十五連隊に配属された。中国戦線やマレー侵攻作戦では住民に対する残虐行為をした。最後の戦場はインパール作戦だった。負傷した右脚を引きずっての退却は地獄絵さながらであった。野戦病院で加療後、輸送部隊に復帰したが、ある日任務を終えて帰ると部隊はも抜けの殻だった。

「敗戦のどさくさの中で、わしは、犬の子1匹捨てるみたいに上官に見捨てられたんです」

日本軍がまた戦力をつけて戻ってくるという噂話に一縷の望みをつないで松吉さんはタイに残る決心をした。

カム・ソークジャム、これが松吉さんのタイ名である。私が訪ねたとき、彼は結婚をして家の周りに40アールほどの畑を拓き、10歳の男の子を養子として育てていた。戦後一度、日本政府による未帰還兵調査があった。しかし松吉さんは帰還の意思を示さなかった。

「カカアもセガレもいる。苦しいときに面倒を見てくれたタイ人もようけおります。そんな人たちを見捨てて帰ることができますか。わしはタイに骨を埋めます。しかし我慢できんのは、日本人に『あいつは逃亡兵だ』と言われることです。こんな屈辱はなかとです」

終戦特集番組の中で松吉さんの元上官は、「藤田上等兵は逃亡したのです。汚名を恥じて日本へ帰れないいんでしょう。もういいのにね」とインタビューに答えていた。戦後62年、藤田松吉元日本軍上等兵の戦争は終わっていない。

（２００７年９月25日）

世界一の星空は誰のもの？

初秋のニュージーランドを２週間ほど旅した。南島の玄関口、クライストチャーチからバスで３時間ほど南西に走ると群青色の水をたたえた氷河湖レイク・テカポの村がある。人口３００人ほどの小さな村で、美しい山並みが湖をふちどり、湖に面してたたずむ石造りの教会の窓から望む風景は見る人の心を浄化してくれる。私がここを訪れたのは、世界一美しいといわれる星空に出合いたかったからだ。

小高い山頂にあるマウント・ジョン天文台は、世界最南端の天体観測基地として知られている。「星空の美しい村」を世界に知らしめたのは、15年ほど前にスターウオッチング・ツアーを始めた小沢英之さんといわれる。初めは、この土地の人たちにとって星空は当然のもので、「そんなものを見せてお金を稼ぐなんて…」と地元の新聞までが小沢さんを揶揄（やゆ）したという。しかし、その評判は国内外に広がり、いまでは世界中から星空ツアーにやってくる観光客が増えた。

残念ながら小沢さんには会えなかったが、星の観測をしながら星空ガイドをしている長岡さんが私たちを車で山頂へ案内してくれた。夜の帳（とばり）が下りた山腹にさしかかると、車はヘッドライトを消して進んだ。ライトが観測の邪魔になるからだ。懐中電灯や携帯電話の明かりも消すように注意された。バスを降りると息をのむような星空が頭上いっぱいに広がり、長岡さんの操作する望遠鏡と解説で北半球では見られない南十字星、大小マゼラン星雲、宝石箱星団などを観察することができた。天の川をこんなにはっきり見たのも子どものころ以来だった。

２０００年ごろ、ニュージーランドでは開発バブルが起こった。その波がテカポにも押し寄せると、ひっそりと十数軒建ち並ぶだけだった村の商業地は大きく広がった。別荘地も争うように開発された。

「これではテカポの夜空は失われてしまう」と、日本の高度成長期を目の当たりにしてきた小沢さんは危機感を抱いた。

そんなある日、ひらめきが彼の脳裏を貫いた。

「テカポの星空を世界遺産にしてはどうか」

一人の日本人の発想が天文学者たちの心に届き、ユネスコに太いパイプを持つ元閣僚を動かして、いまテカポは世界遺産にきわめて近いところにあるという。しかし、異論がないわけではない。テカポの世界遺産化という動きが国際レベルで進んでいる一方で、地元住民はなにも知らされてこなかった。「このままでは、目に見えない力によって自分たちの生活に厳しい規制がかけられ、自分で自分の運命を決められなくなるのではないか」という不安である。

住民の意思を尊重しながら、いかにこの素晴らしい星空を未来へ遺す仕組みをつくっていくのか。熟議と合意形成のための長い道のりが必要となるだろう。

（2015年4月14日）

日々の営みの中で

「もしもし、タカシか」

その電話が突然かかってきたのは、6年前の初夏のことである。原稿の締め切りに追われてイライラしているときだったので乱暴に受話器をとると、「もしもし、タカシか」と、高齢の女性らしき人のしわがれた声がした。

「いいえ、違います。かけ間違えですよ」

と、そっけなく切ろうとすると、

「タカシ、元気そうじゃねえか。はあるか沙汰なかった(長い間連絡がなかった)から案じていたぞ。メシは食えているだか」

彼女は一方的に話し続けた。話の内容から、認知症の祖母が孫とおぼしき相手にかけている電話だとわかった。私はその言葉に適当に相槌(あいづち)を打ち、「大丈夫だよ、ばあちゃん、なんとかやっているから」と答え、「少し暇ができたら、帰るからそれまで達者でね」と言って電話を切った。

それから2カ月ほど経ったころ、再びその女性から電話があった。

「もしもし、タカシか」

私は即座に「ああそうだよ。ばあちゃん元気かい?」と応じた。

彼女は、気持ちよさそうに脈絡のない話を続け、最後に「一人は寂しいぞ」と言った。それから2、3カ月おきにかかってくる彼女との会話を、私は半ば楽しみながらタカシを演じ続けた。話を聞いているうちに最大の気がかりは、孫のタカシが結婚できずにいて、それを苦にして家に帰れないでいると思い込んでいるらしいことがわかった。

彼女を安心させるために私が「嫁さんはもらったし、子どももいる」と言うと、「なぜ、見せに来ねえだ」としつこく繰り返した。

その口調から彼女がいますぐにでも孫の顔を見たがっていることがわかった。

彼女の話がますます意味不明になってきたのは、私がタカシになって3年目を過ぎたころからである。電話の回数も減った。最後に話してからもう半年以上経つ。認知症が進んで施設に入所したのだろうか。健康状態がとても案じられる。

一度も会ったこともない、名も知らぬ人なのに、電話での会話を通じて生まれたこの感情はなんだろう。彼女と私は、いつしか不思議な〝家族の絆〟で結ばれていたのかもしれない。

（2002年7月21日）

勧誘商法のお相手

家で仕事をしていると、さまざまな勧誘商法のお相手をさせられる。最も多いのが電話による勧誘である。

「もしもし、奥さまはいらっしゃいますか」

「どんな御用でしょう?」

電話の主はなめらかな口調で、新しく発売される化粧品のモニターに私の妻が特別に選ばれたという。ここまで聞けば意図はミエミエである。私はすかさず「連れ合いは死にました。もうじき四十九日なんです」と少し沈んだ声で応える。大抵の場合、相手はしどろもどろになって電話を切る。この手で妻の四十九日を何回やったことだろう。

電話による勧誘といえば、社会情勢を巧みに反映したものもある。アメリカのイラク攻撃が始まったころ、○○総合商社の研究員と名乗る青年が「中東の情勢はどうなると思うか」と聞いてきた。国際政治の専門家ではないので答えられないというと、彼は難しい経済用語を連発しながら石油価格の変動について一方的にしゃべりまくり、最後に「絶対に損をしない投資」を持ちかけてきた。大儀も名分もない戦争に乗じて金儲け（かねもう）けを勧める青年の話に不快感は最高潮に達していたが、私はその青年に変化球を投げ返した。

「うまい話だが、電話をかける相手を間違っているよ」

「えっ？」

「俺は、ついこの間破産して3億も借金があるんだ。ぜんぶ肩代わりしてくれるかい」

このように破産者を演ずるのも有効な手段である。

よりスリルがあるのは訪問勧誘だ。玄関のチャイムが鳴ってドアを開けると、顔色のよくない中年の女性が二人立っていた。口ぶりから新興宗教の勧誘であることがわかる。

「あなたの背後に4代前に非業の死を遂げた先祖の霊が見えます。供養をしないと恐ろしいタタリに見舞われます」

結局、除霊のために50万円もする観音像を買えというのだ。こんなとき、私はむらむらといたずら心が湧いてきて、「ヒェー、悪霊だ、悪霊だー」とモノツキに憑（つ）かれたように狭い玄関を跳ね回り、おばさんに向けたお尻を半分露出させてペンペンとするのだ。ここまでやればどんなに執拗（しつよう）な勧誘者でも退散する。若いころからのお芝居の心得が俄然（がぜん）光彩を放つ瞬間である。

勧誘商法のお相手は、毎日自宅でパソコンに向かって仕事をしている私にとってこのうえない気晴らしのひとときでもある。

（2003年5月22日）

悪徳詐欺に勝つ

「お前にそんな才能があったなんて信じられない」と友人たちは目を丸くした。知り合いのAさんが訪問販売による床下リフォーム業者にだまされて払い込んでしまった。そのトラの子の老後資金を取り戻すことができたのだ。それも、からっきしお金の交渉ごとには疎い私が悪徳業者3社と渡り合って、ことごとく契約解除に成功したのだから捨てたものではない。実際、この数カ月、県消費生活センターの専門職員の助言を得ながら、契約内容の違法性や工事の不備を明らかにして公文書を作成し、内容証明、配達証明で業者に送りつけ、交渉を重ねて解約に応じさせた。それは貴重な学習の日々であった。

Aさんの被害は4年前にさかのぼる。県外の業者の訪問販売で「お宅の土台はシロアリにやられている。地震がきたら一発だね」などと不安をあおられ、その場で50万円ほどのシロアリ駆除の契約を結び、薬剤散布をしてもらった。1年後、同じ業者が「点検」と称して現れ、「湿気で床が腐って抜けそうだから、乾燥剤を撒きましょう」と70万円余りの契約をする。３年目には別の県外業者が現れ、「せっかく撒いた乾燥剤が効いていない」と1台12万円もする換気扇を5台も床下に設置する工事契約をさせられた。そして今春、市内の業者が、配水管の清掃をするといって床下に入り込み、「こんな工事では危ないから、土台補強工事をしないと」と言葉巧みに１５０万円余りの工事請負契約を結ばされてしまった。建築専門家の調査でこれらの工事のほとんどが不適切なものであることが判明した。かくして70歳過ぎで一人暮らしのAさんは、次々と「契約販売」の犠牲になったのである。

改正された特定商取引法によれば、訪問販売の場合には、無条件で契約解除できる８日間のクーリングオフの期間を過ぎても、違反行為があった場合は契約締結日から5年間は契約を取り消すことができる。支払ってしまった代金の返還も、無償で原状回復を請求することも可能だ。まずは悪徳商法と関わりを持たないことが第一だが、被害にあったと思ったら公的機関である消費生活センターに相談してみるのがよい。

（２００５年11月29日）

ライオンギャルとの授業

昨年の春から山梨県の短大で授業を持つようになった。

女子大と聞いて年がいもなく胸をときめかせて入学式に赴いたが、式典の間中おしゃべりを止めないライオンのたてがみのような髪の形をした学生たち（私は彼女たちを「ライオンギャル」と呼ぶことにした）を前にして、これはとんでもないところへ来てしまったと悔やんだ。

担当の事務職員からは「四文字熟語を二つ重ねたらお化粧を始めちゃうから、魅力ある授業を工夫してください」とクギを刺された。そこで私は「一方的な講義はしません。対話を通じて学び合う授業に徹します」と宣言した。

明治以来、日本の教育は、小学校から大学まで先生が教壇に立って上から下へ知識を伝授する方法が主流であった。こうした知育偏重の授業のあり方が、子どもたちの豊かな情操や自ら考える力、自己表現力を育てることを阻（はば）んできた。その弊害が、いま青少年をめぐるさまざまな社会的病理として現れているのではないか。

教師と学生が対等に向き合い、対話を通じて気づきを深め、相互作用によって新たな創造を生み出すのが、これからの「学校知」のあり方だと私は理解している。最初の授業は自己覚知をテーマに「自分ってなんだろう」ということをみんなで考えてみた。「自分の誇れるところは？」「自分の嫌なところは？」と問うてみる。嫌なところはたくさん言えるのに、誇れるところは見つからない学生が多い。そこから自分を肯定できない青年たちの姿が現れてくる。

今年の授業は、「いのち」をめぐるさまざまなテーマである。受精卵診断、遺伝子操作、代理出産といった重い課題について、ライオンギャルたちは「あなたならどうする？」という私の挑発に真剣に反応する。そして授業の最後に提出する「振り返りシート」には自分なりの考えがびっしり綴（つづ）られている。甲府から長野までの帰りの電車は、ライオンギャルたちの思考や理解のプロセスを知る至福の時間となる。エイリアン（異星人）のように見えていたライオンギャルたちの心の内は意外とナイーブでまっとうである。

（2001年11月8日）

ギャルたちの新たな旅立ち

教養科目の授業を受け持っている山梨県の短大の卒業パーティーに出席した。ライオンのたてがみのような髪にメッシュを入れた卒業生たちは、入学した当時よりちょっぴり大人びて見える。しかし、「マジー?」「それダサくネー?」「超ラッキョイ(ラッキー)!」といった若者言葉の洪水の中で、私の気分はいささか萎えてきた。「自ら気づき、考え、表現する力をつけること」をモットーに進めてきた私の授業を、彼女たちはどう受け止めたのだろう。

ビンゴゲームの喧騒に疲れてソファに身を沈めていると、ライオンギャルの一人が「先生、これ読んで」と1冊のノートを手渡してくれた。卒業生たちが綴った教師たちへのメッセージ集だ。さっそく私宛のページを開いてみる。

「なにも知らず、なにも考えず、のほほんと生きてきた自分に、世界の見方を教えてくれてアリガト」

「先生の刺激的な授業に心から感謝!!」

「先生の気迫のこもった授業は密度が濃く、提起される課題にいつも頭の中はパニックでした」

「『いのち』『遺伝子診断』『差別』についての授業はちょっと重かったけど、でも自分の生きる姿勢をマジに考えることができたヨ」

「自分から動かなければ、なにも変わらないことに気づくことができました」

「自分がちょっぴり好きになりました」

韓国や中国からの留学生のものもある。

「私たち一人ひとりの意見をフェアに採り上げてくれて感謝です」

「毎回ミニレポート提出は、地獄の苦しみでした。でも、文化の違いを知り、自分とはなにかを真剣に考える有意義な時間でした」

いま世界で起こっているさまざまな課題に真正面から向き合い、自分自身の生き方に引きつけて考え、自分の言葉で表現する授業に、ギャルたちは戸惑い、混乱し、「寝ることもできないじゃん」と不平を言いながらも、ほとんどの学生が最後までついてきた。

他者と内接的に関わるワークショップもだんだん成り立つようになった。私も多くのことを学んだ。彼女たちの内面には驚くほどナイーブな感受性が息づき、豊かな水脈が存在している。その可能性を信じたい。ライオンギャルたちの新たな旅立ちに幸あれ！

(2002年3月30日)

毒舌の快感と哀感

私が漫談家の綾小路きみまろを知ったのは、4年ほど前のことである。何気なくチャンネルを合わせたカーラジオから、中高年を洒落(しゃれ)のめす毒舌が速射砲のように飛び出してきた。

「『あなた、この子たちのためにも、長生きしてね、お願い!』と約束いたしました。あれから40年。子どもたちも育って、二人きりになり、旦那の寝顔をじっと見つめ、『いつまで、長生きするのよ!』」

「安定剤　会社で1錠　女房の顔見て3錠」

「『ともに、白髪の生えるまで一緒に生きていこうね』と約束した旦那もツルツルにはげ、近ごろ、どこにシャンプーをつけていいものか、どこまで顔を洗ったらいいものか」

「昔、キムタクに見えていたオットも、ショクタクになりました」

運転しながら一人で笑い転げて以来、私はすっかり「きみまろファン」になってしまった。彼の漫談集は、瞬く間にベストセラーになり、ＣＤも山積みで売られている。

彼の毒舌がなぜこんなに受けるのだろう。キャバレーの司会や演歌歌手の専属司会という独特な世界で笑いをとって芸を磨いてきた人だから、特に年配の人の心をくすぐるのがうまいのは当然かもしれないが、毒舌を浴びせられて、わが身を振り返ると「うんうん、そのとおり」と妙に納得できてしまい、それがある種の快感につながっていることに気がついた。

人気の秘密はまだある。絶妙なバランス感覚である。彼は決して高みに立って中高年に毒づいているわけではない。同じように中高年の仲間入りをしつつある自分自身へも笑いの矛先が向けられるからお客さんも納得するのだろう。

「私はハーフです。父は通風で、母は糖尿です」

「やっと、この仕事で食べていけるようになりました。明日は、撮影の仕事が入っています。朝9時から、レントゲンの…」

きみまろ独特の話芸の中に漂う哀感がたまらない。哀感といえばこんなネタもある。

「会社のために、手となり足となり、そしてついにクビになりました」

「掃除下手の女房が葬儀屋のチラシを保存するようになりました」

きわめつけで締めくくろう。

「クヨクヨすることないです。安心してください。人間の死亡率は100パーセントですから」

おあとがよろしいようで。


（2007年4月17日）

待てない時代

女性歌手グループのあみんが歌う『待つわ』が大ヒットしたのは１９８２（昭和57）年のことだ。あれからもう（たったの？）26年、時代は大きく変わった。

臨床哲学者の鷲田清一さんは、「現代は、待たなくてもよい社会、待つことができない社会になった」という。たとえば携帯電話だ。いまや国民の半数以上の人が所持するようになって、いつでもどこからでも話したい相手と通話できるようになった。『万葉集』や『古今和歌集』の時代までさかのぼるまでもなく、かつて「待つ」ことはごく当たり前の行為だった。胸をときめかせて何日かあとに届くかもしれない恋文の返事を待ちこがれる気持ちが、歌となり、味わい深い「文化」を生んだ。ラジオドラマと映画で人気となった『君の名は』がつくられた１９５０年代にもし も携帯電話があったら、あの物語はずいぶん違ったものになっていただろう。

「待てない」時代に生きる私たちは情緒不安定に陥ることが多い。メールの返信がすぐに来ないとパニックを起こす子どもがいる。わが子のちょっとした成長の遅れに苛立ち、虐待に走る親がいる。短期間に成果を出すことを要求された社員がうつ病になる。私自身、じっくり言葉を熟成させて文章を書くことが少なくなった。（この原稿もそうだが）パソコンに向かってそそくさと文章を打ち始める。文字変換のほんのわずかな時間が待てないでじれったくなる。まさに「待てない病」ウイルスの感染者なのだ。

「待てない」時代のニーズに応えて、「待たなくてもよい」商品や技術の研究も盛んだ。インスタント食品、果物や野菜の促成栽培、交通手段、健康器具などの開発は、人の価値観や感受性までも変えてしまった。子どもの誕生すらどきどきして待つ必要はなくなった。生まれてくる子どもが男の子か女の子か簡単に知ることができるし、顔かたちまでわかる。ここまで技術を進歩させた人間は確かに「偉大」かもしれない。しかし、時が満ちるのを待つ、発酵するのを待つ、自然の摂理に身をゆだねて待つ、といった心性を失った私たち現代人は本当に幸せなのだろうか。

（２００８年６月３日）

ネット社会の病理

Facebook、Twitter（現X）、LINE、メール、ブログなど、コミュニケーション手段の多様化で、人との結びつきはより親密になったように見える。しかし実際はどうだろう。メールやブログなどで自分の悩みを発信すると、いままで信頼感で結ばれていると信じていた相手からとんでもない言葉が返ってくる。「そんなのお前の思い込みだろう」「うざいんだよ」「生きている意味あるのかよ」といった言葉に傷ついて、引きこもってしまったり、自死に至ったりする若者さえいる。

ネットの世界では匿名性が通用するので、学校の裏サイトで攻撃する陰湿なネットいじめが横行している。自分の存在や自尊心が否定されると自暴自棄になって犯罪に走り、とんでもない事件を引き起こすこともまれではない。目を合わせて言葉を交わし、ときには取っ組み合いのケンカをした私たちの子ども時代とはずいぶん様相が違ってきている。直接的なコミュニケーションこそが、より深い人間関係を育むといった考えはもはや通用しないのだろうか。

近ごろでは、24時間スマホが手放せないスマホ依存症の子どもたちが多くなっているという。深夜でもブルブルと音が鳴るとぱっと目を覚まし、LINE(ライン)などのSNS(交流サイト)をチェックする。すぐに返信しないと仲間外れにされてしまう強迫観念から、寝るときも、お風呂に入るときも、トイレでもスマホから手が離せなくなる。こうしたスマホ依存症は、「自分の意思でスマホの操作を止めることができない」「スマホをしていないと不安になり、イライラする」「自分がなにをしているかわからなくなる」「幻聴・幻覚に悩まされる」といった症状が現れるという。

ネット社会の病理は大人社会にも蔓延(まんえん)している。その典型が「ネット炎上」である。新たな人間関係を構築する場として多くの人に利用されるようになったSNSで、ちょっとした書き込みに誹謗(ひぼう)中傷が殺到して〝炎上〟すると手の施しようがなくなる。アメリカの大統領選挙でトランプの勝利を決定づけたといわれるフェイク(偽)ニュースもしかりだ。

時には世論を動かし、人々の投票行動まで左右するようになったSNS。我々の日常に否応なく侵入してくるこうしたネット社会の病理にどう向き合い、対処したらよいか、あらためて問い直す必要がある。

（2018年6月29日）

地球市民としての想像力

何年ぶりかで、年末年始を家でテレビを見て過ごした。どのチャンネルを回しても、昨年の世界十大ニュースのトップはアメリカでの同時多発テロであった。アフガニスタンでは、空爆を逃れて難民となった数百万の人々が飢えと寒さに苦しんでいる。

こうした報道番組のあと芸能人大集合の早食い競争が始まると私の気持ちはにわかに不安定になった。1個500円もする極上の握り寿司を1分間に何十個胃袋に流し込めるかとか、300万円分の高級中華料理を1週間で食べ尽くすことに挑戦とか、1000万円の賞金をかけた「大食いバトル」の実況中継をするとか…。ローマ帝国末期、市民は飽食の限りを尽くし、吐いては食べることをショーやゲームとして楽しんだという。日本はいまやローマ帝国滅亡前夜のような状況にあるのだろうか。

世界の人口60億人のうち40億人が1日2ドル以下の所得で暮らしている。8億人が慢性的な栄養不足の状態にある。貧困はテロリズムの温床だといわれる。ニューヨークへのテロ攻撃を非人間的な行為として否定する私たちは、年間1300万人の子どもたちが飢えや伝染病で死んでいく現実をどのように受け止めたらよいのだろう。

（2014年3月11日）

「君たちはどう生きるか」

『君たちはどう生きるか』（マガジンハウス）のマンガ版が刊行され話題を呼んでいる。原作は、戦時中に書かれ、いまなお読み継がれている児童小説で、著者は岩波少年文庫の創設にも尽力した編集者で文学者の吉野源三郎。物語の主人公は中学

2年生のコペル君。亡き父の代わりに導いてくれるおじさんと、日々の悩みや疑問を語り合ううち、彼が人生の本質を見いだしていくストーリーである。

たとえば友人の北見君たちが上級生にリンチされる場で、恐ろしさに身がすくんで自分一人だけ抵抗せず傍観し、友人を助けようとしなかった後悔の念で寝込んでしまうくだりがある。友人の信頼を裏切ったコペル君の慙愧（ざんき）の思い。「おじさんのノート」には、自分の過ちや弱さを正面から見つめ、その苦しみに耐えることの中から、生み出される人間の深い生き方が記されている。

「僕たちは、自分で自分を決定する力を持っている。だから誤りを犯すこともある。しかし、だから誤りから立ち直ることもできるのだ」

私にも、友人を裏切ってしまった自分を許せなかった少年時代の苦い体験がある。友人と徒党を組んで悪さをしたり、ケンカをしたりしながら野山を駆け回っていたころのことだ。そんなとき隣町の本屋で偶然見つけたこの本に夢中になり、何度も何度も読み返した。弱い自分に向き合い、大人への一歩を踏み出していくコペル君に重ねて生きることの意味を深く考えるきっかけになった。

『君たちはどう生きるか』の初版が出版されたのは1937（昭和12）年。それは盧溝橋（ろこうきょう）事件が起こり、以後8年間にわたる日中戦争が始まった年である。戦時下の少年向けに書かれたこの児童文学は、いま読んでも新鮮だし、なにより戦意高揚とは真逆の思想に裏打ちされていることに驚く。80年の時を経て、この本がベストセラーになり、マンガ版が刊行され、中高年層の読者も多いという。また、宮崎駿監督の最新作アニメにタイトルが引用されていることも話題になった。

なぜいまなのかと考えれば、この本は、混迷と危機に満ちた時代を背景に少年たちの日常を語ることを通じて、根源的な人のあり方を私たちに問いかけているからであろう。

吉野源三郎は、最後に再びこう結んでいる。「この時代を、君たちはどう生きるか」と。

（2017年12月19日）

監視社会の危険性

最近至るところに防犯カメラが取り付けられているのが妙に気になる。公衆トイレの入り口でふと天井に目をやると、カメラが私の一挙手一投足を見つめているのだ。

安全のためとは思いながらも不快な気分になるのは否めない。続発する犯罪に、街の監視カメラが機能して迅速な犯人逮捕に役立っていることは確かだ。とはいえ、私たちはどこまで見張られなければならないのか。

6年ほど前、アメリカ国家安全保障局（NSA）に勤務していたエドワード・スノーデン氏は機密文書を持ち出し、「監視社会の危険性を世界中の人に知ってもらうため」として、NSAによる盗聴の実態と手口を暴露した。このとき巻き起こったインターネット上の議論に「どうしてそんなに監視を気にする必要があるの?」「悪いことをしていなければなにも心配することはないではないか」といった反応が多いのに驚いた。

なぜ「監視」が危険なのか。それは、国家や権力による監視の網が国民生活の末端まで張りめぐらされ、為政者に都合の悪い批判や行動を弾圧する可能性があるからだろう。

多くの国は、テロ活動や犯罪防止を正当化の理由にしているが、スノーデン氏の暴露は、政府機関が膨大な市民の言動を完璧に把握して、いつでもアクセスできるようにしているという事実を明らかにした。スノーデン氏は、「アメリカが日本を含む全世界を監視する手段を得た」と言っている。民主社会に不可欠なマスコミによる政府批判や市民の抗議集会も弾圧される危険がある。

中国では「天網」と呼ばれるＡＩ（人工知能）による顔認証システムが確立しており、世界から批判を浴びている新疆（しんきょう）ウイグル自治区のイスラム教徒の取り締まりにも使われているという。

こうした動きは果たして中国だけの問題だろうか。自分がいまどこにいるか、警察が好きなときに情報を取得できるＧＰＳ（衛星利用測位システム）が日本でも現実になりつつある。

「民主主義が『正常』に機能している国家では監視社会であっても問題はない」という意見もあるが、かつて先進国に先駆けて監視カメラを導入したイギリスでは、当初、人権やプライバシーが激しく議論された。しかし、カメラに監視されることに慣れてくると、人々は不満を言わなくなったという。日本でも監視の目が街中に行き渡ったとき、かつてのイギリスのように「慣れっこ」になってしまうのだろうか…。そんな社会に生きるのが恐ろしい。

（2019年7月19日）

津久井やまゆり園事件を考える

相模原市の知的障害者施設「津久井やまゆり園」で、3年半前に入所者ら45人が殺傷された事件の裁判員裁判が横浜地裁で始まった。元職員の植松聖被告が、入所者の男女を刃物で突き刺すなどして19人を殺害、24人に重傷を負わせ、職員2人を結束バンドで縛（しば）り負傷させたとして、殺人罪などに問われている事件だ。

逮捕以降も、被告は「障害者なんていなくていい」「意思疎通できない障害者は、安楽死させるべきだ」といった主張を変えていない。

弁護側は、事件当時、被告は大麻精神病で、心神喪失か妄想性障害の状態にあり責任能力はなかったと主張。検察側は、「病的な妄想ではなく、大麻の影響で犯行の決意が強まり、時期が早まったに過ぎない。反人道的な犯罪で、反省の態度はなく酌量の余地はない」としている。

中学、高校時代は真面目なタイプといわれ、大学では教師を目指し、学童保育で知的障害のある子どもの面倒も見ていたという植松被告の歪んだ障害者観はどのようにして生まれ、ふくらみ、事件に至ったのか、その心の闇を知りたい。

法廷では、一人を除き被害者を「甲A」「乙B」といった匿名で呼び、傍聴席内の被害者家族の席は、ついたてで遮蔽する異例の措置がとられた。被害者保護が目的の秘匿制度に基づく決定だというが、被害者一人ひとりの意向に沿った対応だったのだろうか。被害者家族の中には「障害者だからと差別してほしくない。記号なんて人間じゃない」と異論を唱える人もいた。

刑事裁判は実名による公開の審理が原則である。殺傷された障害者やその家族に対しての配慮は当然だが、いまの日本社会の根強い差別や偏見のありようを映し出しているようで違和感を覚える。

私たちは無意識のうちに障害者を蔑視したり排除したりしている。「価値のない命は切り捨てるべきだ」という植松被告の論理は、ナチスの優生思想につながっている。「命の選別」に関して私たちの社会は果たして無実だといえるだろうか。出生前診断の進歩の下で、個人の選択に任される新たな「命の選別」という優生思想を社会に張りめぐらせようとしているのではないか。この裁判は私たち一人ひとりに向けられた問いでもある。自らの胸に手を当て「人の価値、尊厳とはなにか」をしっかり考えながら裁判の行方を見守りたい。

（2020年1月12日）

「死刑確定」で終わらせていいのか

前回のコラムの続き、「津久井やまゆり園事件」についてである。相模原の知的障害者施設で起きた45人殺傷事件の公判で、元職員の植松聖被告に死刑判決が確定した。裁判では、「障害者はいらない」「障害者は不幸をつくる」と殺害を正当化する被告の刑事責任能力が審理の中心になり、事件の本質が解明されることはなかった。

なぜ被告はこのような価値観を持つようになったのか、幼少期の経験や家族との関係、社会のありようを含めてもっと深い審理が必要だったのではないだろうか。なぜなら、被告の理不尽な行動は彼だけの問題ではないからだ。障害を疎(うと)ましく思ったり、障害があるがゆえに排除されたりする社会とはなんなのか。私たちは心の底にひそむ差別意識とどう向き合えばいいのかといった重い問いを突きつけている。

裁判で犠牲者の遺族たちが証言したように、家族にとっては障害があっても一人ひとりがかけがえのない存在なのだ。障害があるからこそ家族の心を豊かにしてくれる。どんな命にも存在そのものに価値がある（それは自己認識が不能になった高齢者についても同じだ）。

しかし私たちの社会は、戦後、旧優生保護法など社会制度の中で障害者への差別や偏見を助長させてきた。「生産性のないものは生きる価値がない」と主張を変えない植松被告の言葉は、そのまま「子どもを産まない人は生産性がない」といった政治家の不用意な発言に通じる。

私たちは、いまこそ一人ひとりの「内なる差別や偏見」に目を向け、それを克服するための学びや社会制度づくりについて深く議論する必要がある。死刑判決に対して弁護人は控訴したが、植松被告は自らその控訴を取り下げ、死刑が確定したのである。しかし「津久井やまゆり園事件」をこれで終わらせていいのだろうか。殺傷された犠牲者や家族のためにも、断じて風化させてはならないと思う。

（2020年3月30日）

ああ、コロナコロナ!!

新型コロナウイルス感染拡大の第二波はどうやら峠を越えたようだといわれるが、県内の集団感染（クラスター）は依然として拡大を続けている。連日報じられる感染者の数に驚かなくなっている感覚の鈍化が怖い。

1月、中国武漢に始まったパンデミック（世界的大流行）は、国際社会がいかに協調して対応するかが問われた。

しかし、トランプ大統領は、「コロナ危機の元凶は中国だ」と決めつけ、中国当局は「中国にコロナを持ち込んだのはアメリカだ」と反撃、対立を激化させた。背景には両国の覇権争いがあるが、アメリカの国内では「分断」と「格差」が拡大し、無策がコロナ被害を悲劇的に増幅させた。コロナ制圧に成功したといわれる中国では、国民の自由まで抑え込み、監視社会への道を突っ走っている。まったく、為政者たちの強権ぶりはおぞましい。

日本では安倍政権が愚策を露呈した。アベノマスクや自演のステイホーム動画。

外出自粛を喧伝しながら「Ｇｏ Ｔｏ トラベル」を奨励するなど、トンチンカンもはなはだしい。もちろん、感染制御と経済の循環をどう両立させるかは重要な課題だ。そのための優先策は、ＰＣＲ検査を徹底的に拡充し、まず感染者を保護隔離することだろう。最終的には検査を希望する人は「いつでも、誰でも、何度でも」受けられる体制の整備が必要だ。それが感染の拡大を抑えるとともに、社会や人々に安心感をもたらし、非感染者による経済活動を可能にするのだろう。アベノマスクに90億円（当初予算４４６億円）、「Ｇｏ Ｔｏ トラベル」に１兆７０００億円もの国民の税金を使うのなら、そのオカネをＰＣＲ検査の拡充や心身をすり減らして対応にあたっている医療機関や医療従事者への支援、さらには解雇され職を失った人たちや路上生活を余儀なくされている人たちの救済に充てるべきではないか。

コロナ時代の必須アイテムとしてマスク着用がすっかり定着した。「マスク着用条例」を定めた自治体まである。なぜマスクなのかと問われれば、多くの人が「感染予防と他人にうつさないため」と答えるだろう。しかし、ある大学のアンケート調査によれば、「みんなが着けているから」を挙げた人がダントツに多かったという。

私自身、マスクを着け忘れて街に出たときに人の目が妙に気になったのも事実だ。これを同調圧力による同調心理というのだろう。ヤバイ兆候である。いま地域や学校では、感染者や家族に対する偏見や差別、悪質な誹謗(ひぼう)中傷が広がっている。新型コロナウイルスに対する私たちの「心のあり方」が問われている。

（2022年12月24日）

人口減少化の行方

2021（令和3）年に生まれた赤ちゃんの数が80万人を割った。第二次ベビーブームのピークだった1973（昭和48）年の約209万人以降、出生数の減少が続いていたが、予測より10年余り速いペースだという。

国立人口問題研究所の推計によれば、このままでいくと、日本の総人口は2053年には1億人を割り込み、100年後には5055万人にまで減るとされる。

人口減少を実感するのは、近隣の小中学校が次々と閉校に追いやられている現実である。64年前、村の中学校を卒業した私たちの同期生は172人もいたのに、今年3月に閉校する母校の卒業生はわずか6人である。人が減り「ぽつんと一軒家」状態になってしまった集落も少なくない。

日本の人口減少社会を研究している河合雅司さんは、10年後には全国の空き家は2167万戸を数え、3戸に1戸は無人となるだろうという。そして2040年には自治体の半数近くが「消滅」の危機にさらされると予測している。一体この国の未来はどうなってしまうのだろう。

政府は「異次元の少子化対策」を打ち出した。その柱は、児童手当と働く母親の育児支援だが、多くの人に広く薄くばらまくのではなく、子育てに困難を抱える人々に確実に行き渡るようにする必要がある。

同時に、非婚者対策も重要だ。統計によれば、現在、50歳時の未婚率は男性28パーセント、女性は18パーセントである。この傾向はさらに強まりつつある。結婚をためらう大きな理由は、男性は「経済的に一家を養う自信が持てない」から、女性は

「仕事と家事・育児の負担を考えると結婚を躊躇する」からだという。男女が対等に働き、家庭や育児の責任も分かち合う「ジェンダー平等」の意識が、あらゆる分野で浸透していないことも事実である。次世代を担う子どもたちの成長を社会全体で支える体制を早急に整えなければならない。

岸田政権は、国家安全保障をめぐる環境が厳しさを増している中で、敵基地攻撃能力を強化することが国民の命を守るための「未来への責務」だと強調するが、人口減少に歯止めがかからないことこそ「国家存続の危機」ではないだろうか。武力行使の準備に膨大な予算を注ぎ込むのではなく、人口減少による現実をしっかり見据え、持続可能な国の未来に備えることこそ肝要なのではないか。

（2023年3月14日）

普通の人が、なぜ…

1923年（大正12）年の関東大震災から100年。歴史の教訓を学ぶ取り組みが各地で行われている。

震災直後「朝鮮人が井戸に毒薬を投げ込んだ」「混乱に乗じて朝鮮人が暴動を画策している」といった流言飛語が飛び交い、戒厳令が宣告された。軍隊・警察に加えて住民による自警団が組織され、朝鮮人狩りの名のもとに6000人余りが虐殺されたという。今年、全国上映された劇映画『福田村事件』(森達也監督)は、関東大震災の混乱の中でデマや偏見が罪なき人々を殺す集団心理を描いている。

忘れられないのは、南京大虐殺記念館(中国江蘇省)で出合った1枚の写真だ。それは、あどけなさが残る若い日本兵が、後ろ手に縛り上げた中国人を笑いながら惨殺するシーンだった。戦場が人間の感覚を狂わせてしまうというには、あまりにもおぞましい光景である。

カンボジアでは、クメール・ルージュの政権下で150万人が同民族によって殺害された。トゥール・スレン収容所には約2万人が収容され、生き残ったのは7人だけだった。元看守のMさんは「上官の命令に従ってやっただけです」と私の質問に淡々と答えていたが、長いインタビューの末にひと言、「あの雰囲気の中では、誰もボス（ポル・ポト）に逆らえなかった…」とつぶやいた。人は時として国家、民族、宗教的対立、独裁者のもとで容易に虐殺者になりうる。

現在進行中のウクライナやパレスチナの紛争でも毎日罪なき人々が犠牲になっている。

１００年前の朝鮮人虐殺をめぐり、「あれはフェイクだ」といった言説がＳＮＳ（交流サイト）などで横行している。私たちは、認めがたい負の歴史にもしっかり向き合わなければならない。そして、内にひそむ加害性を自覚すべきではないか。また同じことを繰り返さないために。最も恐ろしいのは、過去の戦争や虐殺の事実に目をつむることだ。

（２０２３年８月20日）

元トゥール・スレン収容所の看守Mさんの取材（カンボジア）

インド最大の聖地ベナレス、ガンジス川の沐浴場

ニッポンの政治を問う

過去と向き合う

私が父の世代の戦争に向き合ったのは、１９８６（昭和61）年5月に、取材で南京大虐殺被害者追悼献植訪中団に同行して南京大虐殺記念館を訪れたときであった。陳列館には、掘り起こされたおびただしい数の犠牲者のシャレコウベとともに、斬首、焼き殺し、生き埋めの写真、虐殺に用いられたとされる日本刀、銃剣などが展示されていた。どの写真を見ても、残虐行為をしているのが、ごく普通の顔をした日本兵であることに戦慄を覚えた。

平時の家庭にあれば、心優しい夫であり父親である男たちが、戦場ではやすやすと老人、子ども、妊婦まで殺める邪鬼と化す。その行為が国家とか軍の名のもとに正当化されてしまうのが戦争である。私たちにはこの１００年で、大勢の隣人を殺めた歴史がある。どんなにおぞましい過去であっても、その実相をしっかりと見据え、自分の内面に引き受けて行動することが、あとに続く世代の務めではないか。

昨今、「新しい教科書をつくる会」の歴史認識をめぐり、中国や韓国との間で物議をかもしている。いま私たちがなすべきことは、過去を賛美しナショナリズムに訴える物語をつくり上げるのではなく、近隣諸国の人々と共有できる新しい歴史観を模索することではないだろうか。私はいま大学の教室で中国や韓国の留学生たちと、お互いの過去の歴史に向き合う対話を重ねている。

（2001年8月23日）

問われる歴史認識

ポーランドのアウシュビッツを訪れたときのことを思い出す。第二次世界大戦中、ナチスドイツによってヨーロッパ各地から強制連行されたユダヤ人が収容され、虐殺されたホロコースト跡。ガス室や絞首刑用の鉄のレールが当時のまま忌まわしい歴史を証言している。

ポプラ並木が風にそよぐ遺体焼却棟の前で、ドイツからの高校生の一団に会った。先生に連れられて、かつての強制収容所めぐりをしているのだという。過去の戦争と大量虐殺の歴史について語る教師も、熱心に耳を傾ける生徒たちの態度も真剣だった。

「つらくても、過去の歴史に正面から向き合い、未来をつくる子どもたちの心に正しい歴史認識を刻みつけることが教育の使命です」と、初老の教師は、私の質問に明快な英語で答えた。第二次世界大戦後、ドイツの戦争に対する深い反省が近隣諸国の心の扉を開いたといわれる。

日本はいま、韓国や中国、アジアの国々から厳しい批判を受けている。小泉純一郎首相は4月のアジア・アフリカ首脳会議で、10年前の村山富市首相の見解をなぞる形で過去の戦争と植民地支配への反省の言葉を述べた。こうした見解を口にしながら日本政府の行動はそれにともなっていないことに問題がある。南京やシンガポールの大虐殺を指揮したA級戦犯を神さまとしてまつる靖国神社へ首相が公式参拝することは、戦争犯罪そのものを否定することと同じだ。そもそも靖国神社は「日本の戦争は正しかった」という理念のもとに「散華(さんげ)した英霊とその武勲を顕彰する」場所である。

アウシュビッツ・ビルケナウ強制収容所の跡地（ポーランド）。ゲートには「ARBEIT MACHT FREI（働けば自由になる）」の一文が掲げられている。

歴史教科書の問題もそうした流れの延長線上にあるといってよいだろう。日本と中国・韓国の歴史認識の乖離を埋めるには、各国の歴史研究者の共同作業によって、お互いが共有できる新たな歴史観を築くことも一つの方法だろう。現にドイツは、フランスやポーランドと歴史や地理の教科書の内容を協議する機関を設け、共通の歴史教科書づくりに成功しているという。こうした努力を積み重ねることで、私たちはアジアの隣人たちの怨念と不信感を少しずつ和らげることができるのではないだろうか。

（2005年5月31日）

考えなければならないこと

やはり2011（平成23）年は特別な年であった。3月11日、東北の太平洋沿岸の街が次々と巨大津波にのみ込まれ、破壊されていく光景をテレビで見ながら、自然の脅威のもとで人間の営みがいかに無力なものであるか思い知らされた。

被災者（地）を支援したいという県民の「思い」を「行政と民間が協働してつなぐ」ことを目的とした東日本大震災支援県民本部の実行委員長として、現地を何度も訪問した。各地から駆けつけたボランティアが献身的に活動している様子に、日本人の深層にある「利他の心」を垣間見たような気がする。海外メディアが驚きを持って報道したのが、「深い悲しみと絶望の中で手を携えながら前を向き、混乱の中で助け合い、冷静さを失わない日本人」の姿であった。そして国内のみならず全世界から「がんばれコール」が湧き起こった。しかし、実際に被災した人々の言葉を聞いていると、彼らに対して「がんばれ」といったメッセージがどれほどの励ましになるのか、違和感を覚える。

あれから5カ月余り経ったいまでも被災者の心の傷は癒えていない。いまだに「津波から必死で逃げる悪夢を見ます、海鳴りを聞くと震えが止まらなくなります」という人もいる。それどころか、肉親を救えなかったという自責の念から生き残った人たちの自殺が増えているという。

こうした現実をどう受け止めたらいいのだろう。私たちにできることは、彼らを忘れないこと。そして一人ひとりの哀しみに静かに耳を傾け、どんな小さなことでも自分にできる支援を続けることではないか。

この大震災で原発の安全神話がまったく幻想に過ぎないことが明らかになった。事故直後、テレビでは国のリーダーたちが「ただちに健康に影響が出るものではない」と繰り返し、原子力の専門家を名乗る学者は「水素爆発で原子炉建屋は吹き飛んでも、圧力容器は健全だ」と力説していた。しかし、時を置かずしてメルトダウン（炉心溶融）していたことが明らかになった。最悪の状況が起きているにもかかわらず、それでも「安全」「大丈夫」と叫び続ける人々。これだけの事故を起こしてもなお「原発は日本に必要だ」と強弁し続ける人々。なぜ彼らはことさら原発を擁護し推進しなければならないのだろう。

9月に福島県伊達市を訪れたとき、この夏に県民本部が企画した「信州サマーキャンプ」に子どもを送り出した保護者のみなさんに集まってもらい、「親たちの座談会」を催した。

「脱原発についてどう思いますか」という質問に、こんな声が寄せられた。

「高校生の娘から『私たち、将来、〝奇形児〟を産むの?』と聞かれてドキッとしました」

「人間の力で制御できないものをつくってはいけないと思う」

「ちょっと不便な生活になっても、人間の手の及ばないようなことはやるべきではない」

「地球環境を守る点からも原発はなくなればいいと思う」

「世界の国々が話し合って、地球規模で考えるべき問題です」

「思いを語る懇談会」でも、福島からの子どもたちの内部被曝(ひばく)を心配する声が多く聞かれた。最近観たドキュメンタリー映画『チェルノブイリ・ハート』(2003年、マリアン・デレオ監督)よれば、原発事故から25年経つチョルノービリ(旧チェルノブイリ)周辺地域の癌発生率は驚異的に高く、いまもなお心臓、甲状腺、脳などに障害を持つ子どもが生まれ続けている。この現実に「フクシマの未来」を重ね合わせるのはあまりにも恐ろしい。

当事者である東京電力と、原発推進を国是としてきた国はすべての責任を負うべきだろう。そして、私たちはいかなる理由があろうとも、すべての原発の廃炉を主張し続けなければならない。

（2011年8月20日）

精神的メルトダウン

国が直接除染する飯舘村の「除染特別地域」を訪れた。〝除染ゴミ〟の仮置き場となっている公園や広場には放射性物質が漏れ出さないよう遮水シートが敷かれ、排出された除染ゴミを入れた袋がうずたかく積み上げられていた。持参した放射線測定器は、ピーピーという警告音を発し続け、地表よりも空間線量のほうが高い値を示した。この美しい田園を漂う放射能が、人々の体内に侵入し続けていると思うと空恐ろしくなった。そして山野に棲(す)む動物たちの命にどんな影響を及ぼしているのだろう。

『100,000年後の安全』（2010年、マイケル・マドセン監督）という映画がある。フィンランドに建設された、高レベル放射性物質の埋蔵施設「オンカロ」（ONKALO＝「隠された場所」の意味）の存在を追及したドキュメンタリーだ。大震災による福島第一原発事故を受けて、昨年日本でも上映され大きな反響を呼んだ。NHKが短縮版を放送したので、これを観た方もいるだろう。地下500メートルにあるその巨大施設は、高レベル放射性廃棄物が生物に対して無害になるまでに要するという10万年という期間、放射性廃棄物を保持するように設計されているという。10万年といえば石器時代から現代までに相当する長大な時間だ。そんな想像を超える長期にわたって、人間の力で完全に核物質を管理できるのか、その間、施設の安全は本当に保てるのか、さらに10万年後に暮らす人々にまで、その危険性を伝えられる確実な方法があるのか。この映画を製作したマイケル・マドセン監督は、この施設で働く人々や科学者にこうした疑問を執拗に問い続ける。

日本にある54基の原発もほんの数十年先には寿命がきて廃炉になる。そこに残される膨大な放射性廃棄物はどう処理されるのか。来日したマドセン監督は、「フクシマの原発事故を体験しながら日本では『ヒトの手では消せないほど強力な火（原子力発電）の可否について』本質的な議論が湧き起こっていないことが恐ろしい」と語っている。

東京電力と関係省庁のなれ合い、原発事故後の政府のずさんな対応、一部学者たちによる安全神話の喧伝、原因究明も中途半端にいとも簡単に原発再稼働を進めるこの国のありさまを、マドセン監督は「それはフクシマで起きたメルトダウンよりも、もっと深刻なメンタル（精神的）メルトダウンだ」と言い切る。私たちは原発の存在をもっと真摯に問い直すべきではないか。

（2012年3月13日）

大飯原発差し止め判決

大飯原発再稼働を全面否定した画期的な司法判断が下った。地元住民らが運転差し止めを求めた訴訟で福井地裁が運転を再開しないよう関西電力に命じたのだ。日ごろは判決文など詳細に読まない私だが、原発問題の本質を突いた格調高い文章に惹きつけられた。

　裁判長は判決で、大飯原発の安全技術や設備を「確たる根拠のない楽観的な見通しで成り立つ脆弱なもの」と厳しく批判した。「原発は社会的に重要だが、電気を生み出す一手段に過ぎず、人格権よりも劣る。具体的な危険性があれば、差し止められるのは当然」と述べている。

　また、福島事故は我が国最大の環境汚染であり、「原発が安い電気料金の維持や二酸化炭素排出削減に資する」といった関西電力の主張は「はなはだ勘違い」であり、運転再開の根拠にはならないと退けている。特に心を動かされたのは「豊かな国土に国民が根を下ろして生活していることが国富であり、これを取り戻すことができなくなることが国富の喪失と考える」というくだりである。これは人の命や営みが経済性よりも重要であることを表している。再稼働に反対する多くの人々の思いを代弁しているといえるだろう。

　ドキュメンタリー映画『チェルノブイリハート』（２００３年、マリアン・デレオ監督）の悲惨なシーンがよみがえる。チェルノブイリ原発事故から28年、映像はにわかに信じがたい事実を私たちに突きつけてくる。特に先天異常（奇形）児の場面は思わず目をそむけたくなる。医師たちの証言によれば、事故前と比較して明らかに異常児の出産が増えている。しかし政治家や御用研究者たちは「確たる因果関係の裏付けがない」という。

日本でも連載マンガ『美味しんぼ』の鼻血表現をめぐり、「風評被害を広げる」と批判が殺到した。理由はチェルノブイリの場合と同じだ。

国も電力各社も経済性優先の再稼働を急ぐのを止め、このたびの判決を尊重して、不安を抱える原発周辺地域の住民や自治体と真摯に向き合うべきだ。いったん過酷事故が起きれば被害は広範囲に及び、多くの人々が、故郷を追われ、収束作業もままならない。福島の事故から3年が過ぎても、約13万人が避難生活を強いられ、多くは帰還の目途も立たない。家族がバラバラになったり、体調を崩したりする人も少なくない。私たちはチェルノブイリや福島の現実を風化させてはならない。

（2014年6月3日）

戦争をさせないために

「戦争をさせない1000人委員会・信州」の呼びかけ人に名を連ねた。憲法解釈を変更して「集団的自衛権」の行使容認を進める安倍政権に強い危機感を抱いたからだ。

集団的自衛権の本質は、たとえばAという国がアメリカを攻撃した場合、日本がA国を攻撃する、いわば先制攻撃だ。当然反撃も受ける。ひとたび戦争が起きれば歯止めは利かなくなるのが必定だ。

ジョージ・オーウェルの『1984年』という近未来の独裁国家を描いた小説では、権力者は矛盾を矛盾と感じさせない「二重思考」を国民に強要する。その中でたびたび出てくるのが、「戦争は平和である」「自由は従属である」「無知は力である」というスローガンだ。安倍政権の「積極的平和主義」は、自国が攻撃を受けたら反撃する専守防衛の堅持を唱えながら、他国を先制攻撃できる集団的自衛権を認めるという矛盾する「二重思考」そのものである。

私たちは先の大戦への深い反省から、憲法9条で「武力による威嚇又は武力の行使は、国際紛争を解決する手段としては、永久にこれを放棄する」と定めた。この平和憲法の下で、戦後まがりなりにも一度も他国と戦火を交えることなく、一人の他国民を殺めることも、一人の自国民が殺されることもなかった。

憲法は、時の権力の恣意的な行動や暴走を抑える重要な抑制機能である。国民不在の密室で、しかも憲法解釈の変更という姑息な手段で、戦後の日本が国是としてきた平和憲法をないがしろにする決定を許してはならない。

特定秘密保護法の強行採決、武器輸出禁止の解除、そして集団的自衛権の容認と、日本は刻々と「戦争のできる国」へ変身しつつある。

こうした国の動向を危惧する一方で、最近私の心にささやかな希望が芽生えつつある。それは、各地で高校生、大学生、20代の若者たちが自主的に「戦争と平和」、あるいは「集団的自衛権」について考える学習会や討論会を開くようになったことである。たとえば、長野市ボランティアセンターの「ボランティアかわら版」8月号は、若者たちの座談会「戦争って？ 初めて、考えてみた」という特集をしている。

次代を担う若者たちをはじめ、あらゆる世代の人たちとともに「戦争をさせない」運動の輪が広がることを願う。

（2014年8月19日）

〝ワンショット ワンキル〟の悪夢

恐ろしい映画を観た。影山あさ子プロデュース、藤本幸久監督の『ONE（ワン） SHOT（ショット） ONE（ワン） KILL（キル） 兵士になるということ』というアメリカ・サウスカロライナ州にある海兵隊新兵訓練所33カ月を記録したドキュメンタリーである。

ブートキャンプと呼ばれる新兵訓練所には毎週500人の男女の若者たちが入隊してくる。特別な若者ではない。「大学に進学したい」「いい仕事に就きたい」と願う、ごく普通の、多くは貧しいアメリカの若者たちである。彼らは訓練所に到着するや否や、「イエス、サー（はい、上官殿）」以外一切の言葉を禁じられ、個性と思考の一切を剝奪される。

「余計なことは言うな！　疑問を発するな！」と怒鳴られ、12週間の鬼気迫る猛訓練で、どんな命令にも即座に反応する精神と肉体をつくり、〝ONE SHOT ONE KILL（一撃必殺）〟、人を殺すということに疑いを持たない兵士へと変貌していく。そして彼らは、沖縄を経由して世界の紛争地に送られているのだ。

四十数年前、私はベトナム戦争下のサイゴン（現在のホーチミン市）の酒場で、ジャングルの激戦地から帰ってきたばかりのアメリカ海兵隊の兵士と酒を飲みながら話したことがある。

「人を一人殺せば、あとはいくらでも殺れるようになる。自分の中でなにかが壊れちまうんだ」

まだあどけなさが残るその青年兵士の異様にギラギラした眼が忘れられない。ベトナム戦争が終結して40年経ったいまも、帰還した兵士たちの多くがＰＴＳＤ（心的外傷後ストレス障害）に苦しんでいるという。

いま日本では、安倍政権が強行する安保法制のもとに、集団的自衛権の行使が現実味を帯びつつある。南スーダンに派遣されているＰＫＯ（国連平和維持活動）の任務も拡大され、「交戦主体」として「殺し、殺される」武力行使可能なものに変容しようとしている。これは明らかに、交戦権を放棄した憲法9条違反である。

日米の軍事一体化が進み、ともに戦うことになれば、当然、アメリカ海兵隊と同等の力を備えた〝ONE SHOT ONE KILL〟の精神とスキルを持つ若者兵士を訓練することになるだろう。日本社会の格差拡大と貧困が、否応なく銃を持って戦う若者たちを生み出すことを想像するだけで恐ろしい。この映画の深い意味と、私たちの国の行方を重ねて考える必要がある。そして、どんなことがあっても戦争法案を許してはならない。

（2016年3月1日）

「積極的平和主義」のまやかし

ひどく気になっている言葉がある。安倍晋三首相が頻繁に口にする「積極的平和主義」だ。平和学では、単に平和＝戦争のない状態を「消極的平和（主義）」というのに対して貧困、抑圧、差別など社会的構造から発生する暴力がない状態を「積極的平和（主義）」と定義している。

安倍首相が主導する国家安全保障会議では「『積極的平和主義』の立場から、我が国の安全、国際社会の平和と安定及び繁栄の確保にこれまで以上に寄与していく」として、この目的達成のために集団的自衛権を容認し、戦後国是としてきた平和憲法を改変して「戦争のできる国」へ踏み出そうとしている。このような「積極的平和主義」は本来の意味を曲解したまやかし以外のなにものでもない。

日本の権力者、為政者たちは、日本が先の戦争で犯した事実を率直に認めることなくずるずるとごまかしてきた。それどころか最近、日本の侵略戦争を「自虐史観」として否定し、正義の戦いであったと正当化する勢力が勢いを増している。「あれはアジアの国々を植民地支配から解放する戦いであった」と。従軍慰安婦問題についても「俺たちだけが悪いのではない、他の国だって同じことをやっているではないか、なぜ俺たちだけが加害者だと批判されなければならないのだ」「南京大虐殺なんて、でっち上げだ」などと。

私はアジアの国々を取材旅行したとき、南京大虐殺記念館で生き残りの人たちの話を聞き、インドネシアのスマトラ島では元日本軍の従軍慰安婦だった残留朝鮮人女性から聞き取りをしたことがある。父たちの世代が非常時の戦場で行った行為とはいえ、犯され、焼かれ、殺されていった人々の恨みと哀しみと怒りに触れ、あの戦争がなんであったのか深く考えさせられた。

脅しと暴力で相手を屈服させるのが戦争である。平和の心とは人を脅さない心のことだ。学校教育でも心の教育が声高に言われるようになった。一人ひとりの尊厳を守り、多様な生き方を認め合い、真の平和を実現するという大前提に立って心の教育を進めるとすれば、それは「他者を脅して支配しない心」をしっかり育む教育でなければならないだろう。

今年は戦後70年。8月15日の「終戦記念日」には、首相談話が発表されるという。安倍政権が、どんな歴史認識を示し、未来に向けた「平和を希求する日本」を発信するか厳しく見守る必要がある。

（2015年2月3日）

非戦こそ平和の礎

このコラムで私は、再三にわたって「戦争のできる国」へ急加速する安倍政権の動きに異を唱えてきた。その懼れがいま現実のものになろうとしている。

国会では集団的自衛権の行使を可能にする安全保障関連法案の矛盾が噴き出し、衆院憲法審査会では見解を求められた憲法学者全員が「違憲」であると断じた。以降、全国弁護士連合会、市町村議会、市民の間でも法案成立に反対する声は高まるばかりだ。にもかかわらず安倍首相は「この法案の正当性、合法性には完全に確信を持っている」と強弁するばかりで、国民に納得のいく説明ができないでいる。

もともと集団的自衛権に「限定的」などありえない。政府の裁量で際限なく武力行使が拡大することは目に見えている。安倍政権が強行しようとしている安全保障関連法案の根本にあるのは武力優位論だ。敵に攻撃を思いとどまらせるには軍事力で優位に立つことが必要で、他国の戦争であっても自国に被害が及ぶような事態になったら力を合わせて敵を叩こう、というのが集団的自衛権の考え方である。これは明らかに「武力による威嚇（いかく）又は武力の行使は、国際紛争を解決する手段としては、永久にこれを放棄する」と定めた憲法に違反する。

憲法9条の基本は「非戦」である。戦後70年間、まがりなりにも一度も他国と戦火を交えることなく、一人の他国民を殺（あや）めることも、一人の自国民が殺されることもなかったのは、憲法が時の権力の恣意（しい）的な行動や暴走を抑える抑制機能を果たしてきたからに他ならない。現行憲法のあり方について広く国民に問うこともなく、閣議で勝手に憲法解釈を変えるという姑息（こそく）な手段で平和憲法を瓦解（がかい）させることは、法治国家として絶対に許されることではない。

どんなに険悪な国際関係になっても、軍事力に頼るのではなく辛抱強い外交交渉によって解決に導くのが政治の力ではないか。世界各地で紛争が起き、日本の周辺でも不穏な状況が生まれているいまこそ、平和憲法の根幹をなす非戦の姿勢を貫くことが平和を築く礎であることを肝に銘じるべきだと思う。

（2015年6月30日）

爆心地に立って

初めて広島の爆心地に立った。若いころからアウシュビッツ、南京、カンボジアなどの大虐殺の現場を歩いてきた自分が、これまで原爆の被災地を訪れることがなかったのはなぜだろう。歴史上最も悲惨な過去の現実に向き合う心構えができていなかったのかもしれない。

あの日、1945（昭和20）年8月6日午前8時15分、澄みきった青空を切り裂き、かつて人類が経験したことのない「絶対悪」が広島に放たれ、一瞬のうちに街は焼き尽くされ灰燼（かいじん）と化した。朝鮮半島や中国、米軍の捕虜などを含め、子どもからお年寄りまで罪のない人々が被爆し、その年の暮れまでに14万人もの尊い命が失われた。平和記念資料館には犠牲者の遺品のほかに映像や証言記録など当時の惨状が残されている。当時18歳の女性は、「私は血だらけになり、周りには背中の皮膚が足まで垂れ下がった人や水を求めて泣き叫ぶ人がいました」と証言している。放射線は人々の体を貫き、そのために引き起こされた病気や後遺症は、生き残った人々をいまも苦しめている。

今年5月、広島の平和記念公園を訪問し、安倍首相とともに原爆慰霊碑に献花し演説したオバマ米大統領は「我が国のように核兵器を持っている国は恐怖の論理から脱し、核兵器のない世界を目指す勇気を持たなくてはならない」と語った。安倍首相は、8月の広島平和記念式典で「人類史上唯一の戦争被爆国として核兵器の惨禍を体験した我が国には、確実に『核兵器のない世界』を実現していく責務がある」と誓った。こうした日米両国の為政者の言葉はあまりにも空々しい。

このたび、国連総会で圧倒的多数で採択された核兵器を法的に禁止する決議案に、日本はアメリカなどの核保有国とともに反対した。これは71年間にわたり核廃絶を訴え続けてきた被爆者に対する裏切り以外のなにものでもない。安倍首相は「核の傘」というアメリカの核兵器に頼りながら核兵器廃絶を誓う二枚舌政策になんの矛盾も感じていないようだ。「自衛のために核保有は可能だ」という政治信条を公言する輩（やから）を防衛大臣に据えるに至っては、核なき世界を希求する国民に対する背徳もはなはだしい。

平和記念公園で小学生の一団が唱和していた「平和への誓い」に深い共感を覚えた。

「誰が、平和な世界にするのでしょうか。夢や希望にあふれた未来は、僕たち、私たち、一人ひとりが創るのです」

（2016年11月8日）

「パン屋騒動」と教科書検定

「パン屋は非国民か」という書き込みがインターネット上で炎上した。来年の4月から初めて科目化する道徳の教科書検定をめぐっての騒動である。

小学校1年生用の検定用教科書の『にちようびのさんぽみち』で友達の家のパン屋を見つけた箇所について、文部省が「伝統文化を尊重し、国や郷土を愛する態度を学ぶ内容になっていない」と指摘し、「パン屋」から「和菓子屋」へ内容を変更させられたというものだ。同じ理由で子どもたちが公園の「アスレチック遊具」で遊ぶ写真が「和楽器店」の写真に差し替えられたという。

文部省は、あくまでも「修正は出版社の自主的な判断によるものだ」と主張するが、どんな詭弁(きべん)を使っても、文部省が難癖をつけ、教科書会社は商売のために、安易にそれに従ったという構図は変わらない。なんと次元の低い〝伝統文化の尊重と郷土愛〟であることか。そもそも「日本の伝統文化」なるものは、もとをただせば、その多くは外来文化に由来している。「和菓子」「和楽器」しかり、「ひらがな」でさえ大陸からの漢字をアレンジしたものである。「パン」も、いまや日本人の暮らしにすっかり溶け込み、日本の多彩な食文化の一部となっている。

道徳の教科化は２００６（平成18）年に第一次安倍政権が打ち出したが、中央教育審議会（中教審）が「心の中を評価することになるのはいかがなものか」と難色を示し見送られた。２０１２年末に発足した第二次安倍政権は、再び教科化を検討。メンバーを入れ替えた中教審が教科への〝格上げ〟を求める答申を出して実現した。小学校では平成30年度から、中学校では31年度から授業に組み込まれる。

検定教科書の「パン屋騒動」は、インターネット上のとるに足らない春の嵐のように見えるかもしれない。しかし、森友学園の幼稚園児たちに唱和させていた「教育勅語（ちょくご）」を評価する安倍晋三首相や稲田朋美防衛大臣、勅語を教材として使うことを容認してはばからない内閣の姿勢と合わせて考えると、現政権の目論見（もくろみ）は、「いざというときにはお国のために進んで身を捧げる国民」を育てる国家主義的な国づくりだということを、ゆめゆめ忘れてはなるまい。

（2017年4月18日）

ウクライナ侵攻と父たちの戦争

ロシアのウクライナへの軍事侵攻に終わりが見えない。連日、テレビ、新聞、SNS（交流サイト）などで伝えられる瓦礫（がれき）と化した都市や地下シェルターで息をひそめるお年寄り、妊婦、幼児などの姿に胸がふさがる。ウクライナ各地で多くの民間人がロシア軍によって拷問され、女性はレイプされ、惨殺されたという。ゼレンスキー大統領は「これはジェノサイド（大量虐殺）だ」と非難するが、ロシア側は「一人の住民にも手を出していない。ウクライナ政府によるフェイクニュースだ」と否定している。また激戦地の東部ではロシア軍による制圧が進み、拉致された住民が親ロシアか否か選別され、強制連行されているという。

　時代は大きく異なるが、私はこの状況を父たちの戦争と重ね合わせる。1931（昭和6）年9月18日、奉天（現在の瀋陽）郊外の柳条湖での満鉄爆破事件（日本軍の陰謀といわれる）を契機に日本軍の中国東北部への侵攻が始まった。当時、陸軍の青年将校であった父は連隊旗手として戦地に赴いた。関東軍は東北三省を占領し、翌年、傀儡国家「満州国」を樹立、以降15年に及ぶ中国との戦争が続いた。
日中戦争で日本軍による最も残酷な三光作戦（殺し尽くす、焼き尽くす、奪い尽くす）は華北省の住民に甚大な犠牲をもたらした。日本軍はこれを「燼滅作戦」と称した。戦後になって「三光」という作戦名はなかったから、そのような残虐行為はなかったと言いつくろった。

　華北における日本軍の行為は、南京大虐殺、七三一部隊、毒ガス生体実験とともにおぞましい戦争犯罪を象徴するものであった。情報統制下の日本では占領地拡大のニュースが伝えられるたびに各地で戦勝祝賀の提灯行列が繰り返された。私たちは戦争に動員された犠牲者であるとともに、戦争推進の加害者でもあったことを忘れてはなるまい。

プーチンの理不尽なウクライナ侵攻に憤る私たちは、往時の日本軍がどんな行動をとったかを想像する必要があるだろう。戦争の狂気は決して他人事ではないからである。

（2022年5月17日）

「広島ビジョン」の誤謬

「過ちは繰返しませぬから」と刻まれた広島の原爆死没者慰霊碑に献花し、神妙な面持ちでこうべを垂れるG7広島サミット（先進7カ国首脳会議）に参加した各国の首脳たち。その姿が世界に発信された。ウクライナ侵攻を続けるロシアによる核使用の脅威が現実味を帯びつつあるいま、核保有国を含む先進7カ国の首脳たちが広島に集い原爆惨禍の実相に触れ、被災者の声に耳を傾けた意義は大きい。議長国として「核軍縮に関する広島ビジョン」を主導した岸田文雄首相は、閉幕後の記者会見で「核兵器のない世界という理想をＧ７のリーダーたちが深く胸に刻んだ歴史的なサミットであった」と胸を張った。

確かに世界の関心をほんの一時広島に向けさせることに成功したのかもしれない。しかし「核なき世界」の理想に向けて具体的な道筋は示されなかった。首脳声明では「現実的なアプローチ」の名のもとに核兵器の保持が正当化された。なによりも、サミット会場で核のボタンが入ったカバンを持った随行員がバイデン米大統領の後ろにかしずく姿は、異様と言うより滑稽に見えた。

特に厳しい目を向けているのは被爆者たちである。カナダ在住の被爆者サーロー節子さん（91歳）は、原爆資料館を見学する首脳たちの様子が非公開にされたことに異議を唱え「願いとはほど遠く」「（サミットは）大きな失敗だった」と断じた。広島県原爆被害者団体協議会の佐久間邦彦理事長は、首脳声明には「リーダーたちの体温や脈拍が感じられなかった」と落胆。母親の胎内で被爆した資料館元館長の畑口實さん（77歳）は「核抑止の殻を破れなかった」と指弾した。日本原水爆被害者団体協議会（日本被団協）の木戸季市事務局長（83歳）は「戦争をあおるような会議になった。一縷（いちる）の望みを打ち砕かれ、怒りに震えている」と語った。

「広島ビジョン」最大の問題点は、「核兵器は侵略を抑止し、戦争や威圧を防止する」という核抑止論の肯定だ。アメリカの「核の傘」への依存度を強めている日本に「核なき世界」実現の「橋渡し」をする資格はない。低迷していた岸田内閣の支持率がG7広島サミットによって少し上向いたという。「ヒロシマが政治利用された」と被爆者たちが憤るのは当然である。

一日も早く「核兵器禁止条約」を批准し、分断と対立を乗り越えてすべての核保有国が核廃絶へ向かう道筋を主導することこそ、唯一の被爆国としての責務ではないか。

（2023年6月6日）

78年目の夏

「はちがつは　むいかここのか　じゅうごにち」という詠み人知らずの句がある。今年も広島・長崎の原爆の日と終戦の日がめぐってきた。

6日、平和記念式典の中で広島市の松井一實市長は、この春開催されたG7広島サミット（先進7カ国首脳会議）で岸田文雄首相リードでまとめられた「広島ビジョン」に触れ、「核抑止論が破綻していることを直視して、すべての核保有国に核兵器の放棄を促すことが重要だ」と批判した。9日、長崎市の鈴木史朗市長は、核兵器のない世界への道筋を具体的に示すことを求めた。

ロシアが核使用をちらつかせながらウクライナ軍事侵攻を続け、中国が核戦力を増強し、北朝鮮が核・ミサイル開発に血道を上げているいま、核戦争の脅威は現実のものになりつつある。しかしG7の核保有国は、相変わらず「核兵器は侵略を抑止する」という幻想にとらわれ、日本はアメリカの「核の傘」の下で「核なき世界の実現に向けて努力する」という自己矛盾に縛（しば）られている。

広島での式典後、岸田首相に面会した被爆者団体の代表は「一日も早く核兵器禁止条約を締結すべきだ」と強く迫った。長崎の被爆者代表は、「地球と人類の未来を守るには核兵器廃絶しかない」と訴えた。しかし、こうした被爆者の声が、今年も日本の為政者を動かすことはなかった。

被爆者健康手帳を持つ国内外の生存者は3月で11万3649人。平均年齢は85歳を越えたという。自らの被爆体験を語り伝える人たちも年々減少し、あとに続く世代に受け継がれつつある。

長野市では、8月27日午後1時から長野市ふれあい福祉センターで「被爆体験を聴く会」が開かれる。長崎で被爆した俳人・松尾あつゆきの孫にあたる平田周さんが家族証言者として講話する。続いて、あつゆきの屋代東高校教諭時代の教え子で、全俳句と長崎での被爆体験日記を『花びらのような命』(龍鳳書房)にまとめた竹村あつおさんと「信濃毎日新聞」に『被爆と反核の俳人　松尾あつゆき』を連載中の上野啓祐記者がトークセッションに加わり、会場参加者と語り合う企画である。セッションの進行を担当する私としては、若者をはじめ多くの世代が、被爆の実相を我がこととして受け止め、すべての核兵器を地上からなくし、戦争のない世界を実現するために、一人ひとりになにができるかを深く考える場になるように努めたい。

（２０２３年８月22日）

「平和主義」の劣化

先月末、イギリス、イタリアと共同開発する次期戦闘機の輸出解禁が閣議で決定された。これは明らかに「戦争と、武力による威嚇又は武力の行使は、国際紛争を解決する手段としては、永久にこれを放棄する」と宣言した平和憲法に違反する。戦後、まがりなりにも守られてきた「武器輸出三原則」は原則として武器の輸出を禁止する内容であった。それが２０１４（平成16）年、安倍政権下で「防衛装備品移転三原則」へと改変され、武器輸出を認める道を開いた。その流れを継いだ岸田政権の戦闘機輸出解禁である。

政府は幾重もの「歯止め策」を強調する。その一つとして、「輸出先は協定を結んでいるアメリカ、インド、フィリピンなど15カ国に限り、現に戦闘中の国は除外する」とある。しかし輸出可能な国の中には近隣との紛争を抱えている国も少なくない。「侵略などに使われた場合、是正要求や輸出差し止めを含め厳正に対処する」というが、「侵略」の概念もあいまいだし、日本から輸出した戦闘機が無辜の市民を殺めたあとで〝対処〟したところでなんの意味があろう。また岸田文雄首相は、最新鋭の次期戦闘機を共同開発して稼ぐのが「国益」になると言ってはばからない。我々の血税が殺傷力のある兵器開発に使われてよいはずがない。潤うのは防衛産業だけではないか。

最大の誤謬は、こうした重要な方針が閣議という密室で決定されたことである。政府は実際の輸出にあたっては、どの国に何機売るかといった個別案件ごとに閣議に諮り「厳格なプロセスを経る」として与党である公明党との合意にこぎつけた。本来、このように憲法の根幹に関わる問題は広く国民に問いかけ、国会で論議を尽くすのが当然であろう。

国民の関心が自民党国会議員の裏金問題や日米首脳会談に集まっている間にも、

ロシアのウクライナ侵攻やパレスチナ自治区ガザ地区の戦闘は激しさを増し犠牲者は増え続けている。世界各地で対立と混迷が深まるいまこそ、非人道的な武力行使を永久に放棄することを誓った憲法9条の理念に立ち戻り、国際的役割を果たすべきではないか。世界に誇れる日本の「平和主義」を劣化させてはならない。

（2024年4月16日）

世界を旅し、人生をうろうろしていたころの筆者

幼い日の記憶と別れ

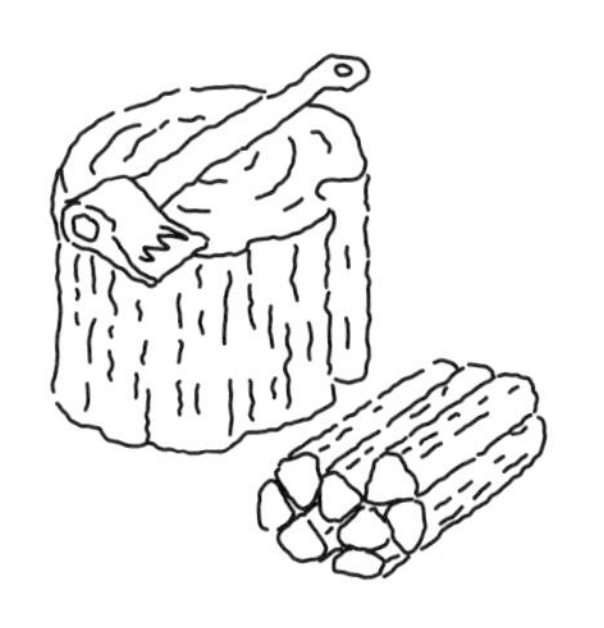

原体験の記憶

広島や長崎への原爆投下時、母親の胎内で被爆（ひばく）した人の中には、六十数年経ったいまでもその原体験の記憶が残っていて閃光（せんこう）や爆音に敏感に反応を示すことがあるという。1943（昭和18）年6月、湘南海岸に近い地方都市で生まれた私には、母のお腹の中での記憶は定かではないが、おぼろげな心象風景として夏の日の光景が浮かび上がってくる。これはあとから聞いた話があたかも自分自身の記憶のように刷り込まれているのかもしれないのだが、焼けつくような日差しの下でジージーと鳴くアブラゼミ、疎開した信州の藁（わら）ぶきの百姓家、その家の茶箪笥（ちゃだんす）の上に置かれた箱型の真空管ラジオからは雑音混じりの声が流れている光景だ。

1945年8月15日、母も近所のおばさんたちもラジオの前にひれ伏して泣き崩れていた。「日本は負けたのよ」と、いくら母が諭しても当時75歳の祖父は「そんなバカなことがあるか、天子さまはがんばれと檄（げき）を飛ばしておられるのだ」と、褌（ふんどし）一つで炎天下の庭に飛び出して日の丸を振り回していた。

日清・日露戦争に出征し、乃木大将から金鵄勲章を授けられたことを生涯の誇りとしていた祖父にとって、日本の敗戦は受け入れがたいことだったのだろう。10歳の兄と8歳の姉は縁側で足をぶらぶらさせて、そんな大人たちの振る舞いをぽかんと口を開けて見ていた。2歳を過ぎたばかりの私は母の膝の上でむずかっていたという。

敗戦当時、陸軍省参謀本部の将校だった父が戦後処理を一段落させて、家に帰ってきたのはその年の秋のことである。士官学校を卒業後、満州事変(1931年〜1937年)で連隊旗手を出発点に、南京占領後の統治など陸軍将校として戦場に赴いたが、その体験を決して家族に話すことはない温厚で子煩悩な父親だった。しかし、南方や中国の戦地から帰ってきた村の男たちと囲炉裏を囲んで酒盛りをするときは別人になった。ある冬の夜、野うさぎの肉鍋を真ん中に戦場談義になったとき、父は軍刀の試し切りの話を始めた。

「マンジン(満人)を村から引っ張ってきてな、自分の首を転がす穴を掘らせたんだ。そして研ぎたての軍刀を抜いて…」

隣の部屋で遊んでいた私は、父の蛮声に体をこわばらせ、火がついたように泣き出した。襖（ふすま）が開き、母親が飛び込んできて私を力一杯抱きしめた。そのとき、ちらっと見えた父の形相は赤鬼のように怒張して、阿修羅（あしゅら）のごとく仁王立ちしていた。その姿は消し去りがたい心の傷となって沈潜（ちんせん）した。

長じて私が、ベトナムの戦地に赴いたり、シンガポールや南京の大虐殺の取材に出かけたり、アジア各地の残留日本兵の聞き書きをする旅に出かけたのも、そんなおどろおどろしい記憶が私をそうさせたのかもしれない。

満州事変から帰還した父は、人が変わったように東京・四ツ谷のキリスト教会にしばらく出入りしていたと母から聞いたことがある。そんな父と穏やかに向き合うことができるようになったのは、彼が病の床についてからである。

（２００８年８月19日）

薪割り免許皆伝

「ジロウ、その腰つきじゃダメだ。わしに貸してみろ」

桑の木の根を風呂焚き用の薪にするのに悪戦苦闘していると、縁側で煙管タバコをくゆらせていた祖父が立ち上がった。当時、私は8歳。祖父はすでに80歳を越えていたが、両手に唾をつけ、マサカリを振り上げる姿は、なかなかサマになっていた。

「一発で割ろうなんて思うな。木の素性をよーく確かめてから、まず肝心なところに切れ目を入れるんだ」

祖父は幼い私に、手取り足取りで薪割りの基本を手ほどきしてくれた。人一倍運動神経が鈍い私は、なかなか祖父の言うとおりにはできなかったが、だんだんコツがつかめてきた。そして1カ月も経ったころ、「よし、素性の悪い桑の根っこをこれだけこなせれば免許皆伝だ」と頭を撫でてくれた。

その夜、家族全員が食卓を囲んだ夕食の席で、祖父は咳払いを一つすると大声で一席ぶった。

「ジロウは、お天神さま（学業のこと）はぱっとしねえが、精進して薪割りをモノにした。本日をもって免許皆伝とする。どうだ、大したもんだろう」

祖父の声が響き渡る中で私に注がれる家族の眼差しが照れくさかった。

「ジロウが割った薪で沸かした今日の風呂は格別だった」

いつも叱られてばかりの自分がこんなに褒められるなんて！

あのころ、どこの家でも水汲みや風呂焚きは子どもの仕事だった。日々の営みの中で子どもに役割が与えられ、それをどうにかこなすことで家族の一員としての自覚が生まれた。しかし、最近はどうだろう。育児放棄、幼児虐待、子殺しといった深刻な事件が頻発している。「家庭崩壊」といわれる昨今である。そうした世相の奥にひそむ闇を考えてみたい。

免許皆伝のマサカリは、いまも冬の薪づくりのために納屋の入り口に鎮座している。

（2010年3月6日）

走り馬のおしっこたれ

父は悪筆であった。陸軍省参謀本部付の高級将校であったが、父の書く文字はおよそ謹厳実直な軍人のイメージからはほど遠く、自由奔放ともいえる自己流で、時には本人でさえ判読不能なほどであった。私が小学生になって漢字を覚え始めたころ、母は私の練習帳をのぞき込んで深いため息をついて言った。

「やっぱり血筋ね。走り馬のおしっこたれのような字はお父さんにそっくり」

馬が飛び跳ねながら小便をしているように不揃いでヘタクソな文字に耐えかねたのだろう、小学5年生になると母は私を長野市内の書道塾に連れていった。大人に混じって中国の古典である王羲之（おうぎし）や欧陽詢（おうようじゅん）の臨書を2時間みっちり習う土曜の午後はこのうえなく苦痛だったが、やがて塾をずる休みして映画館に直行する密（ひそ）やかな楽しみを覚えると、週に一度バスに揺られて長野の街に出るのが楽しみになった。

中学2年生のある日、「家宝にしたいので、陸軍中佐殿に表札を書いていただきたい」と村の名士のUさんが立派なケヤキの台木を持ってきた。父は気楽に引き受けたが、母は「お父さんの字があのお宅の家宝になるなんて」と眉をひそめた。「受けてしまったものは返せない」とすったもんだした挙げ句、「書道塾に行っている二郎に書かせよう」ということになった。

懇願する母親に逆らいきれず、私は顔真卿（がんしんけい）の筆法を真似て表札づくりに取り組んだ。しかし、どんなにあがいても、豪放磊落（ごうほうらいらく）な顔真卿の筆法とは似ても似つかず、私の字はやっぱり幼い少年の筆跡であった。

「お父さんの字よりよっぽどマシよ」と母は慰めてくれ、父は憮然（ぶぜん）とした顔でUさんの家に表札を届けにいった。

二度目の父の代筆は高校2年生のときである。祖父の七回忌に墓を建立することになった。墓碑銘はその家の当主が書くか専門家に任せるのが普通だが、「末代まで残るものだから」と、このときも母の提案で私にその役が回ってきた。大役を任された私は、夏休みを使って取りかかった。しかし、走り馬の素性はそう簡単には矯正されるものではなかった。

欧陽詢の書体で「内山家之墓」と画仙紙に書いてみたが、何度試みても「内山家」

のほうが大きくなって「之墓」の部分が寸詰まりでうまく収まらない。ついに時間切れとなって不本意な出来栄えのまま墓石屋に渡した。

墓石建立法要のとき、彫ってくれた石材店の親方は「とても素直で彫りよい字でした」とお世辞を言った。父は建立者としてしっかり自分の名前が刻まれているのに大満足だった。しかし、周囲の立派な墓石群の中で、白い御影石に刻まれた私の幼い文字はいかにも見劣りがした。

あれから四十数年が過ぎた。実家は兄があとを継いで墓を守っているが、墓参りのたびに父の代筆で書いた不揃いな文字に身が縮む思いがする。そして当時の父の年齢を過ぎた私の文字は、最近ますます走り馬のおしっこたれのようになりつつある。

（2003年5月1日）

15歳の問い

自分の存在や生きる意味について深く考え始めたのは15歳のころであった。

「勉強して上の学校へ行って、いい職業に就いて、お金持ちになって、幸せな家庭を築いても、いずれ死んでなにもなくなってしまう人生になんの意味があるの?」

少年が発した疑問は周囲の大人たちを戸惑わせた。そんな中で、結核を病んで我が家に居候していた叔父が言った。

「死んだら、すべてが無に帰してしまうから意味がない?」

普段はもの静かな叔父の激しい言葉だった。

「だってそうだろう。どうせみんな死ぬんだから」

「じゃあ、君は自分自身の死を、どうやって確かめることができるんだい?」

「それは…」

「生きている限り自分の死はないんだよ。確かなのは〝いま〟〝ここに〟いることだ。一所懸命生きて、実現したいこと、他の人のためにできることを精いっぱいやる。

それだけで素晴らしいじゃないか」

　こんなやり取りがあって、叔父と二人だけで対話する時間が多くなった。叔父と私は、満天の星に流れる銀河を見上げながら宇宙について語り合った。

「ビッグバンによってこの宇宙は始まったというけれど、ビッグバンの前にはなにがあったの？」

「それは科学を超えた神の領域に属することじゃないかな」

「叔父さんはズルイよ！　わからないことは神さまのせいにするんだから」

「人間の知恵を超えたところで、星々が生成消滅を繰り返している。そんな星の一つとして地球が誕生し命が生まれた。こんな奇跡的な出来事の中に私たちは生きているんだ」

「じゃあ、神さまはどう確かめるの？」

　叔父は少し哀しそうな眼差しを私に向けて言った。

「星空を見ていると不思議な感覚が湧いてくる。深い畏(おそ)れというか、自分を超えた存在に対する感謝の気持ちだ。『ありがとう』とはもともと〝在りがたい〟存在に対する畏敬の念の表現なんだ。キミにもきっとわかるときがくるさ」

あれから45年の歳月が経った。広大無辺な銀河を見上げると、いまは亡き叔父が言っていた〝不思議な感覚〟がどこまでも深まってゆく。それにしても浄土真宗の敬虔(けいけん)な宗徒であった叔父が「神」の存在をどう捉えていたのか、いまとなっては問うすべもない。

（2003年8月23日）

「聞こえる聞こえる」

新しい補聴器が届いた。来年卒寿を迎える老母のために特別にあつらえた超小型最新式のものである。ソラ豆ほどの器具を耳の穴に装着すると、母は「聞こえる、聞こえる。あんたのヒソヒソ話まで聞こえるよ」と無邪気に笑った。

80歳を過ぎるころから急に難聴が進み始めた母は、最近ではテレビを見るときも最大音量でやっと聞こえるといった状態である。家族にとっては騒音の中で暮らすようなものだ。聴力検査をすると、左耳はほとんど聞こえない重度難聴。右耳は大声でどうにか会話ができる高度難聴と診断された。

これまで買った2個の補聴器は「大きな音が響くだけで役に立たん。ピーピーいって頭が痛くなる」とほとんど使わないで埃をかぶっていた。「新聞を読めばシャバのことはわかるから」と本人は達観しているが、聴覚の衰えは交友範囲を狭め、明らかに脳細胞の働きにも影響を与えているように思えた。

新しい補聴器を購入することにしたのは、今年の冬、母が大腿骨頸部骨折で入院し、退院後は家で介護保険の適用を受けることになったからである。訪問看護や訪問リハビリに来てくれる人のためにも耳は聞こえるようにしておかなければ、と本人も家族も意見が一致した。補聴器の専門家に相談し、外耳に完全にフィットするように型をとり、聴力に合わせて低音域と高音域の周波数帯域を自動調整する機能を備えたデジタル式補聴器を注文した。その豆粒ほどの道具によって、ほとんど聞こえなかった聴力が常人と変わらないまでに回復したのである。

最近、老母の表情が豊かになったような気がする。操作をマスターした母は、東京から介護のために帰郷した姉と瀬戸内寂聴さんの本を前にして「如来さまの教え」について会話を楽しんでいる。補聴器はともに生きていることを確かめ合う重要な役割を果たしているのだ。そんな姿を見ていて、デジタル技術も捨てたものではないなと思うようになった。

（2002年6月27日）

老母との会話

92歳になる老母は、一日中音のない時間を生きている。今年の正月、大腿骨(だいたいこつ)を折って寝たきりになってから難聴が進み、それまで補聴器の力を借りてなんとかできていた会話がまったく不可能になってしまった。唯一の楽しみは病院に毎朝家族が届ける新聞に目を通すことだ。そんな老母の傍らに座って〝半筆談〟を楽しむようになって半年余りになる。方法はホワイトボードに簡単な質問を書き示し、それを読んで彼女が声で答えるというものである。病院の食事が終わったあと、静かな会話の時間が始まる。

「痛みは、どう?」と私はリウマチ反応が出ている老母の体の痛みについて訊く。

「他人にはわからないだろうね、この痛みは」と老母の顔が歪む。「でも…、癒やされない痛みもあるわね」と、短い沈黙のあと、老母がぽつりと言う。

「中国や朝鮮のこと?」と私はボードに書く。彼女は少女時代の一時期、憲兵隊長だった父親の勤務地だった中国の旅順で学び、結婚後、北朝鮮羅南で過ごしたことがある。

「あのころ、日本人は本当にひどいことをしたからね。現地の人たちはいまどんな思いでいるかしら」

敗戦の年、母は兄と姉と私の3人の子どもを連れて、夫の先祖伝来の地である信州に疎開し、慣れない農作業や乳牛を飼って私たちを育て上げた。

「無我夢中だったわ。朝から晩まで野良で働いて、泥のように眠った」

そのころのひたむきな心情は、昭和20年代に詠んだ「夫の故郷信濃を良しと耕して我が故里の筑紫恋はずも」という短歌に現れている。

「一番よかったのはいつごろ?」

「50代、60代かな。やっと食べるために働くことから解放されて、成人学校で編みものや古典文学を学んだり、先生についてかな書道の勉強をしたり、本当に幸せだった」

乞われて村の教育委員や婦人会のリーダーにもなった。

自然の摂理に従い身土不二（しんどふじ）を信条とする自給自足を生きがいとしてきた老母はここ数年すっかり衰え、ベッドから自力で起き上がることさえできなくなってしまった。尿意も便意も感じないので、定期的にオムツの交換をしてくれる看護師さんに「アリガト」と手を合わせて身をゆだねている。羞恥心も卑屈さのかけらも見せないこの態度はなんだろう。

会話に疲れてウトウトし始めた老母に訊ねる。

「いまの気持ちはどう？」

「いつお迎えが来てもいいよ」

13年前に他界した夫とともに信州大学医学部に献体の手続きをとった老母の寝顔は安らかである。波乱に満ちた生涯の果てに、あらゆる執着から解き放たれて眠る母との幸せなひとときであった。

（2005年8月30日）

「ありがと　さよなら」

老母が逝った。主治医のS先生は、「死亡診断書には『心不全』と書きましたが、92歳の年齢からすれば老衰による天寿まっとうといってよいでしょう。大変な生命力でよくがんばられました」とお褒めの言葉をかけてくれた。

昨年の正月、老母が大腿骨(だいたいこつ)を折り、寝たきりになって1年余り、仕事の合間をぬって病院へ通う日々が続いた。病床に付き添った家族がリレー形式の日記のように綴った入院記録は大学ノート5冊になった。その日の治療やリハビリの様子、体調、食事の内容、交わされた会話の断片などが綴られている。あらためて読み返してみると、終末に向かって一日一日を生きた老母の姿がいとおしいほどによみがえってくる。

老母は国の医療制度の規則に従って、この1年間に4回も転院した。受け入れてくれた病院の医師や看護師たちは、それぞれ当人や家族の気持ちを真摯に受け止め、一病院や個人の力ではどうにもならないという現代の医療制度の矛盾を説明してくれた。

老母が心不全を起こし療養型病棟から医療病棟に移されたのは年の瀬の寒い日であった。

心電図の計器、導尿、酸素マスク、高カロリーの栄養液や血圧を調整する点滴の管につながれた姿はまさにスパゲティ状態であった。襲ってくる痛み、末梢血管の収縮による手足のチアノーゼ（紫色に変色する症状）の広がり、荒い呼吸と無呼吸状態の繰り返しの中で苦しむ老母を前に私たち家族は「なによりも、痛みと苦しみを取り除いてやってほしい」と主治医に訴えた。鎮痛剤が投与されたが、なかなか安らかな最期は訪れなかった。往生を遂げたくても生かされてしまう現代社会。「地獄は、この世にあるんだね」と生前言っていた言葉が思い出される。

家族がローテーションを組んで24時間の付き添い態勢にあったある深夜、無呼吸状態から息を吹き返し目を開いた老母は、筆談用のホワイトボードに震える手で「ありがと　さよなら」と記した。それは「もうこの苦しみから解放してほしい！」という叫びのように思えた。

それから10日間、老母は〝類まれなる生命力〟で懸命に生き、衰弱の果てにようやく永久の眠りにつくことができた。安らかな死に顔に、私は「やっと楽になれたね」と声をかけた。清拭をして死化粧をしてくれた看護師とともに遺体を霊安室まで送ってくれたS医師が深々と頭を下げながら言った。

「この1カ月間、医療者として精いっぱいのことをさせていただきました。しかし、これがお母さんにとって本当に幸せな時間であったのか…」

彼の顔に苦渋の影を見たとき、なぜか救われた気持ちになった。

母の枕辺で、日本の終末医療のあり方について深く考えさせられた日々であった。

（2006年2月28日）

一緒の墓に入る

ようやく老母の納骨をすませた。3年半前、92歳の天寿をまっとうして信州大学医学部に献体された母の亡骸(なきがら)は、医学生の解剖実習のお務めを果たして荼毘(だび)に付され白い骨となって家族のもとに戻ってきた。11月、大学近くでしめやかに執り行われた合同慰霊祭で、百数十の骨壺に向かって大学関係者や医学生たちが語りかける感謝の言葉は、いずれも遺族の心に深く響くものであった。

献体を希望するに至った経緯を、母は自著に記している。

「夫が私を枕もとに手招きしてそっと言った。『俺の人生、人さまの役には立たなかった。最後に医学生の研究のために、この体を献体したいんだが…』と。胃癌が肝臓に転移し、胆汁を管で体外に出す処置が施され、日に日に衰弱していく夫の体は、骨の上にやっと皮が被っている状態だった。『賛成だわ。でも一人では寂しいわね。一緒に献体しましょう』と、私はごく自然に応じた。主治医に夫の気持ちを話すと、献体を受け入れている信州大学医学部の『こまくさ会』を紹介してくれた」

17年前に永眠した父は、献体後半年で納骨の運びとなった。当時は献体希望者が少なく、解剖用の遺体を外国から輸入しているという話もあった。しかし、母の場合は3年半も待たなければならなかった。

菩提寺近くの先祖累代の墓地に親類縁者が集まり、住職の読経の中で敷石を持ち上げると、ぽっかりと深い穴が現れた。のぞき込むと17年前の父の骨は2、3本を残してほとんどが土に同化していた。母の骨壺の真っ白な骨は、指先に触れるとはらはらと崩れ落ちた。長患(わずら)いで強い薬に侵されたせいかもしれない。私は、それを父の骨の上に撒いた。穴の奥から「遅くなってごめんなさい。一人で寂しかったでしょう」と、父に語りかける母の声が聞こえてくるようだ。いずれ二人の骨は一つになって土に還(かえ)る。

最近、跡継ぎのいらないお墓が増えているという。散骨、合葬墓、樹木葬、ビル型納骨堂、オンライン墓地など、死者を弔(とむら)う意識も変化してきているのかもしれない。それにしても「一緒の墓に入る」とはこういうことなのかと私は妙に得心した。

(2009年12月29日)

望ましい死に方

送り盆が終わって、今年もご先祖さまが彼岸へ帰っていった。一番新しい仏さまは、昨年秋に納骨した母である。さまざまな医療機器や管につながれ苦しみながら死んでいった老母の姿を思い出すたびに、あれは果たして「望ましい死に方」だったのだろうかと思う。

このたび、イギリスの調査会社が終末医療の現状などを基準とした世界40カ国・地域の「クオリティ・オブ・デス（QOD、死の質）」ランキングを発表した。それによればトップはイギリスで、ホスピスの普及率、専門家養成の環境が整備されていることなどが評価された。2位以下は、オーストラリア、ニュージーランドが続いている。

ちなみに日本は高額な医療費と終末医療に従事する人員の不足がたたって23位と先進国の中でも評価は低い。調査にあたったトニー・ナッシュ氏は、日本について「医療システムは高度だが、在宅医療など、患者や家族に寄り添うケアが難しいようだ」

と分析している。

母の終末期、医師や看護師は可能な医療を精いっぱい施してくれた。私たち家族はローテーションを組んで病院に通い、背中や足をさすり続けた。それにつけても、もっと痛みや苦しみから解放してあげることはできなかったのか。そして、せめて1日でも住み慣れた家に帰って安らかな最期を迎えさせることはできなかったのか。

日本では家族や医療者は、病気を治すこと、死を少しでも遠ざけることを第一に考える風潮がある。その背景にはターミナルケアや安楽死について社会的合意や法律が定まっていないことがあるのだろう。誰もが「望ましい死に方」を実現できる長寿国になるには、終末医療の充実や専門家の育成とともに、本腰を入れて自宅での死を安心して選べる環境を整える必要があるのではないだろうか。

末期(まつご)の苦しみの中で母が書き遺した「ありがと　さよなら」という言葉に忸怩(じくじ)たる思いが募る。

（2010年8月17日）

陸軍省参謀本部の将校だった父・一彌（右）

母・律子と父

兄が倒れた

一人暮らしの兄が倒れた。

7年前、くも膜下出血の大手術から奇跡的によみがえり、なんの後遺症も残らずに元気で畑仕事や趣味の書道に打ち込んでいた77歳の兄が、二度目のくも膜下出血と脳出血を併発した。幸い倒れた場所が近くの理髪店だったので、すぐに救急車を呼んでいただき、脳神経外科のある総合病院に搬送された。知らせを受けて私が駆けつけたとき、兄は見開いた目を虚空へ向け、ＩＣＵ（集中治療室）で大いびきをかいて横たわっていた。もちろん呼びかけてもなんの反応もなかった。

執刀医は手術に先立って頭部の断層写真を示し「前頭葉への多量の出血によって左右の脳が広範囲にわたって損傷を受けています。手術がうまくいっても判断力、記憶力、言語能力が元の状態に戻るのは難しい。おそらく一人暮らしは無理になるでしょう」と病状を説明した。

開頭手術は6時間半に及んだ。脳内に広がった出血を取り除き、複雑に入り組んだ脳の最深部に機器を挿入して、遠隔操作で前回取り付けたクリップを外し、疾患部位に新たなクリップを取り付けるという難度の高い手術であったが、無事に終わった。まさにプロフェッショナルで、〝神業(かみわざ)〟に感謝である。

千葉、兵庫、オーストラリアで暮らしている甥や姪が駆けつけ、父親の回復の可能性について訊ねたが、「経過を見ないと現段階ではなんとも判断できない」というのが病院関係者の見解だった。仕事や子育てで多忙を極める甥や姪は、親戚への連絡や金銭管理の手続きをすますと、あわただしくそれぞれの日常に戻っていった。

ＩＣＵから一般病棟に移って一段落したある日、私は老親亡きあと兄が一人で守ってきた築１６０年の実家を久しぶりに訪ねた。主がいなくなった家の周りは夏草が繁茂し、露地はつる草で覆われていた。畑も雑草に埋もれていた。近所の人たちがあぜ草を刈り払ってくれていたのがありがたかった。

戸を開け放して風を通し、仏壇の水と花を替えて座敷に一人座ると、屋根裏から「この家はどうなる？」という声が聞こえた気がした。もうじきお盆がくる。ご先祖さまが帰ってこられるように兄に代わって迎え盆の準備をしなければ…。今後のことは回復状況を見て兄の気持ちを大事にしながらゆっくり考えよう。病院へ戻ってそのことを話すと、兄は私の手を黙って握り返した。

（2012年8月20日）

記憶のもつれ

一人暮らしの兄がくも膜下出血で倒れて4カ月近くになる。幸い、身体と言葉の後遺症はほとんど残らなかったが、記憶・思考・判断力をつかさどる前頭葉の損傷による高次脳機能障害で、まったく別の人になってしまった。特に面倒なのは、今日が何月何日で、いまどこにいるのかという見当識を失ってしまったことだ。あるときは、自分のいる場所が亡くなった妻の実家であったり、船長時代に入港したシドニーの街角であったりする。話題も、まだ生きている息子や娘の葬儀や納骨の段取りであったり、田んぼの代掻き（しろかき）の準備であったりと、湧き上がってくる記憶と妄想の糸がもつれて収拾がつかなくなる。

私の日課は兄が入院しているリハビリ病棟を訪れ、このような記憶のもつれにお付き合いすることだ。どんなに支離滅裂でも、静かに受け止めて聴いている限り、彼の心は穏やかである。

ある日、私は兄が航海士として乗っていたぶらじる丸の写真を見せながら、その船上で義姉に一目ぼれしてプロポーズしたいきさつを話してくれるように促した。「彼女をどうやって口説いたの？」と。認知症の人によく使われる「回想法」である。じっと写真を見つめていた兄の表情が和らぎ、ポツリポツリと青春の思い出をうれしそうに語り始めた。数分前のことすら覚えていないのに五十数年前の記憶や感情が鮮やかによみがえってくるのが不思議だ。

リハビリのおかげで足腰の筋力もついて、スタッフの付き添いで街歩きもできるようになった。しかし、認知機能に改善の兆しは見えない。夜中に自分の部屋にあるトイレがわからず、廊下を徘徊(はいかい)して他の患者さんの部屋に入り込んでしまうことがある。この病院もリハビリ治療が終われば出て行かなければならない。いまの状態では、公的な介護サービスをフルに利用しても自宅での暮らしは到底かなわない。

長男が千葉の自宅近くの福祉施設を探しているが、ほとんどが何十人もの順番待ちだという。彼が人としての尊厳を持って心を安らかに暮らせる環境を整えるのが緊急の課題だ。

これから、一人暮らしの高齢者の認知症はますます増えることだろう。社会全体の問題として考えなければならない。

小春日にもつれた記憶探しゆく　二郎

（2012年11月14日）

真夜中の電話

真夜中に枕もとのスマホが鳴る。

「もしもし、私」

東京の姉からだ。

「これからお墓参りするんだけど、口紅を持ってきてほしいの」

「これからお墓参り? それで口紅が必要なんだね」

私は彼女の言葉をそのままオウム返しする。

一昨年の秋に自宅のトイレで倒れ、脳幹を損傷した姉は、記憶も判断力も時間の感覚もあいまいになってしまった。いわゆる高次脳機能障害による認知症である。急性期には表情もなく言葉もままならなかったが、リハビリによって少しずつ回復し、現在の老健施設に移ることができた。

それから昼夜を分かたず電話がかかってくるようになった。「隣の部屋で青いザリガニがざわざわしているからなんとかして」と助けを求めてきたり、聞こえるはずのない不思議な音におびえたり、「黒い影に見張られている」と妄想を訴えたりと話のつじつまは合わないが、彼女にとってはどれも切実な現実なのだろう。そんな電話の応対に心揺さぶられるときもある。

「お母さんに頼んでくれる? カボチャのすいとん食べたいって」

戦後の食糧難時代、子どもたちのお腹を満たすために懸命だった母の姿がよみがえる。

「おいしかったね、お母さんのすいとん。でも死んで、もういないよ」

「えっ、お母さん死んだの？ なぜ教えてくれなかったの、どうして！」

電話の向こうで泣き崩れる姉にとって母はまだ生きていたのだ。

兄がくも膜下出血と脳出血を併発して、長男のいる千葉県の老健施設に入所して10年になる。ここ2年ほどは、コロナ禍で家族との面会もかなわず、時折オンラインでしか様子を伺い知ることができない。最近は胃ろうで余命をつないでいるが、施設スタッフの手厚い介護でそれなりに元気にしているようだ。

築170年の実家は、末弟の私と連れ合いが週末に通ってどうにか管理している。年が離れた3人兄姉弟であったが、家のここかしこにともに育った年月の思い出が刻まれている。

仏壇の花と水を換え、手を合わせると、天井裏からご先祖さまのつぶやきが聞こえてくる。

「畑のほうは大丈夫か？」

「うん、なんとかやっている」と私は力なくつぶやき返す。また姉から「真夜中の電話」がかかってきたら、おしゃべりにご先祖さまにも参加してもらおう。

（２０２１年7月30日）

兄と従妹との別れ

最近、二人の死と向き合う機会があった。一人は8歳違いの実兄の死だ。長い間、外国航路の船乗りをしていた兄は、退職後に故郷の信州に戻って古い家を守り畑仕事や趣味に打ち込んでいた。しかし、10年前にくも膜下出血と脳出血を併発して長男が暮らす千葉の老健施設に入所した。以来一度も自宅に戻ることなく87歳の生涯を閉じた。何度か施設を訪問して兄と言葉を交わす機会があったが、訓練されたスタッフや息子家族の温かい介護で穏やかな日々を送っていた。なによりの生きがいは、得意の書道を見込まれて施設のイベントや行事の式次第を墨書することだった。

しかし、最後の4年間は胃に直接栄養を送る胃ろう措置が施され、口からは食事がとれない状態が続いた。衰弱して言葉も反応もなくなった兄が医療によって生かされているのを見るのは忍びなかった。まだ息のあるうちにオーストラリアから会いに来た兄の娘は、胃ろうで管につながれている姿を見て、「私が住んでいる国では、胃ろう措置はめったにしません。回復する可能性がなくなれば、延命のための治療よりも、苦痛を和らげて残された日々をその人らしく生きるための支援が主流だわ」と熱く語った。

日本でもターミナルケアやホスピスが広がりつつあるが、家族の希望もあって、「少しでも命を永らえさせることを優先する」医療が一般的である。葬儀は近親者だけでしめやかに執り行われた。

もう一人は、すい臓癌で亡くなった従妹の「偲ぶ会」である。1年余りに及ぶ闘病の末、76歳で永眠した彼女は、最期まで意識がはっきりしており、自らの余命を受け入れ、残された日々を自らの意思でまっとうした。まだ体が動く間は趣味の書画を楽しみ、友人や家族と旅をし、食べたいものを食べ、自分の死後の段取りについてもこと細かく家族に伝えていた。遺体は大学病院に献体した。1年後、本人の遺志に沿って、都内のホテルに親戚、友人、お世話になった人などを招いて偲ぶ集いが行われた。遺骨は希望どおり小平霊園で樹木葬をするのだという。なんと行き届いた逝き方であろう。故人の思いを家族全員で叶（かな）える姿にも心を打たれた。

日本にはまだ「終末期医療における患者の意思を尊重する法律」はない。尊厳死に導いた医師が殺人罪で送検された事例もある。誰もが迎える終末である。自分の人生や最期について記録しておくエンディングノートや、受けたい医療、望まない医療、延命治療などについて事前に意思表示しておくリビングウイルの重要性を考える必要がある。

（2023年4月3日）

兄・直記、筆者、姉・京子　昭和28年ごろ

内山さんとは何者か

増田正昭

長野市信更町（しんこうまち）にある内山二郎さんの御実家を訪ねたのは、１９８９（昭和64）年夏のことだった。数年前に東京から故郷にＵターンし、地域の人たちと一緒に創作の「村芝居」を上演したり、雑誌や新聞に原稿を書いたり、いわば「フリーライター」の先駆けをされていた。背筋の伸びた上品な御母堂がバーベキューを御馳走してくださった。内山さんは46歳。村芝居が市社協の担当者の目にとまり、ボランティア団体や地域おこしの演出・アドバイザーへと活動を広げていたときだった。

内山さんは瞬（また）く間に福祉やボランティア活動の世界で、欠かせないキーパーソンとなっていった。長野パラリンピックでは有志と「ながのパラ・ボラの会」と「アートパラリンピック実行委員会」を立ち上げ、縁の下から盛り上げを図った。一つのことを共に仕上げていくプロセスを通して、気が付けば障がいの有無を超え、一人ひとりがごく普通の、ありふれた日常の関係へと変わる――内山さんが目指すゴールは常にここにある。

内山さんとは何者だろう、と考えることがあった。断じてカリスマではない、組織の指導者でもない、接した人はみな、ごく自然に、コミュニケーションや表現の世界へと誘われる。ファシリテーター、プロデューサー、仕掛け人、演出家、ライター…。

この度「人生、ポレポレで行こう」を拝読し、そうだったのか、と腑に落ちた。本書は、老いを迎えた率直な心境や「人生100年時代」の生き方を記した「老後のデザイン」の章に始まり、失語症の方々の演劇や東日本大震災支援などの実践例が登場する「地域を元気にする」、世界を旅した体験記「海の向こうで考えた」と続く。さらに現代社会の断面を切り取った「日々の暮らしの中で」「ニッポンの政治を問う」、最後に生い立ちを記した「幼い日の記憶と別れ」の6章から成っている。

多彩な内容に驚かされるが、通底するのは「生老病死」と「戦争と平和」だ。幼い頃に目撃した中国戦線から帰還した父親の鬼気迫る形相、しっかりものだった母親が医療器具につながれて迎えた最期の情景、兄や親友の無念の死…。それらが通奏低音となって、福祉を軸にした地域づくりや被災地での活動、カンボジアの教育支援、平和憲法を軽視する政治への憤りにつながっている。

もう一つ、人と人との壁をごく自然に超える内山さんの原点は、若き日の放浪の旅にあったことも新たな発見であった。本書の「死を待つ人の家」に印象的なシーンがある。若き日にインドを放浪中、ガンジス川のほとりで男から死にゆく老人のヒゲを剃ってほしい、と請われた。連れて行かれた最下層の人々が死を迎える場所で、内山さんは横たわる老人のヒゲを剃った。「こんな縁でその老人が息を引き取るまでの半月余り、一族の一員のように老人の世話を手伝わせてもらった。老人の臨終は安らかだった」――。私は、この文章に内山さんのその後の人生の歩みが凝縮されていると思った。

さまざまな実践を通して内山さんが私たちに伝え続けたのは、「支え―支えられる関係」の喜びであり、心地よさではなかったか。それは、人間が根源的に持っている特性に違いないはずなのだが、金儲け（かねもう）や競争が優先される社会では、陰に隠れていた。経済成長の終焉（しゅうえん）とともに訪れた「平成」の世の中は、無慈悲なまでの格差社会の実態を露（あら）わにした半面、人間本来の喜びに目を向けるきっかけとなったのかもしれない。

内山さんが、通り一遍ではない自らの「ポレポレ人生」をベースに私たちに提起してきたのは、この過酷な時代を人間らしく生きるための視点ではなかったか。よりよく生きるための地域とは何か、喜びを分かち合える人間関係とは何か。本書には、そのヒントが随所に散りばめられている。

内山さんは2024（令和6）年6月に長野県長寿社会開発センター理事長を退任された。だが、これからも「私たちはどう生きるか」、その手がかりを聴きたい、学びたい、と思う人は私を含めてたくさんいるはずだ。今まで以上に旺盛（おうせい）な発信を続けていただきたい、と心から願っています。

（信濃毎日新聞編集委員）

あとがき

長野県シニア大学で「人生道路地図」の講座を開設して十年余りになる。生まれてから現在までを自分史年表に整理し、それを１枚の道路地図に描くのである。受講生は初め戸惑い、中には「過去を振り返ることになんの意味があるの？」と怒り出す者もいる。そんなとき私は、「これは、自分を棚卸しして未来へ踏み出す出発点です。事柄だけではなく、その時々の喜び、哀しみ、挫折、果たせなかった夢なども書き込んでみましょう」と応じる。次第に受講生たちは作業に集中し、紆余曲折に満ちた道路地図が形になってゆく。

次に「自分の人生に表題をつけてください」と促す。すると「我が人生に悔いなし」「まだまだ道半ば」「水の流れのように」「我が悔恨の日々」「すべて塞翁が馬」「リベンジに燃える！」といったタイトルが添えられて人生道路地図は完成する。１枚１枚にその人ならではの物語が凝縮されている。

講座の後半は対話による共有タイムである。ある人は能弁に、ある人はとつとつと己の来し方を語る。自らを開き、他者の人生譚に耳を傾け、問いかけ合うことによって、多様な人生の奥深さを知る。

私は受講生に問いかける。「いま一番気になっていること、残りの人生で実現したいことはなんだろう」と。この講座が目指すゴールである。

このエッセー集の整理は、私の「人生棚卸し」そのものであった。自身の「寄り道、迷い道人生」で忘れがたい記憶は、エチオピア南部の飢餓地帯で出会った飢えて死にゆく母と子の姿だ。写真に収めて逃げるようにその場を立ち去ったときの悔恨がひりひりとよみがえってくる。彼らのためになにかできることはなかったのか。教育支援をしたカンボジアの子どもたちのその後も気になる。私の「ポレポレ人生」の旅はまだまだ続きそうである。

この本の出版に当たり、細部にわたりご助言とお力添えをいただいた、しなのき書房の林佳孝さん、寄稿してくれた旧友の増田正昭さん、制作協力の倉石浩行さん、寺島仁美さん、イラストレーターの田之脇篤史さん、そしてエッセーの第一読者であり私の体調管理に努めてくれた妻のヒデ子に心から感謝したい。

２０２４年７月　内山二郎

内山 二郎

うちやま じろう

1943年神奈川県生まれ、本籍長野市信更町。長野高校、慶応義塾大学卒業。学生時代にベトナム戦争下の現地に赴く。マグロ漁船乗り、港湾労働者、鳶職、映画助監督、TVディレクターなどを経てフリーライターに。アジア、アフリカ、インド、東欧、オーストラリアなどで取材活動。1983年病気療養のため帰郷。長野を拠点に活動を始める。地域づくり、海外支援、大学非常勤講師、市民活動、東日本大震災支援、障害者福祉、テーマ劇の脚本・演出、長野県長寿社会開発センター・長野県シニア大学の運営などに携わる。

人生、ポレポレで行こう

2024年7月29日　第1刷発行

著　者
内山 二郎

発行者
林 佳孝

発行所
株式会社しなのき書房
〒381-2206 長野県長野市青木島町綱島490-1
TEL.026(284)7007　FAX.026(284)7779
http://www.shinanoki.net

編集協力
オフィスえむ

印刷製本
大日本法令印刷株式会社

ISBN978-4-903002-82-8